PORTUGUÊS COLOQUIAL
PARA ESTRANGEIROS

MARIA ADELAIDE MAGALHÃES MELO
MARIA DO CÉU BARROS DE SÁ LIMA

EDIÇÕES
ASA

Título
PORTUGUÊS COLOQUIAL PARA ESTRANGEIROS

Autoras
Maria Adelaide Magalhães Melo
Maria do Céu Barros de Sá Lima

Capa
Ana Barquinha

Execução Gráfica
EDIÇÕES ASA, S.A.
Rio Tinto/Portugal

Ano/Edição
Junho de 2000/5.ª Edição

Depósito Legal
N.º 147 365/00

ASA Editores II, S.A.

SEDE

Av. da Boavista, 3265 – Sala 4.1
Telef.: 226166030 Fax: 226155346
Apartado 1035 / 4101-001 PORTO
PORTUGAL

E-mail: edicoes@asa.pt
Internet: www.asa.pt

DELEGAÇÃO EM LISBOA

Av. Dr. Augusto de Castro, Lote 110
Telef.: 218372176 Fax: 218597247
1900-663 LISBOA • PORTUGAL

INTRODUÇÃO

O CURSO

Este curso de português destina-se a alunos principiantes e intermédios que pretendem usar a língua portuguesa em diversos contextos reais, aplicando uma linguagem simples e coloquial. Para ser usado com ou sem ajuda do professor, pretende-se através dele dar ao aluno adulto um conhecimento básico das estruturas fundamentais da língua, tendo em vista a sua utilização quer em contextos socio-profissionais quer em contextos turísticos.

O LIVRO

Estruturado de forma globalizante e progressiva, este manual permite ao aluno desenvolver gradativamente o seu domínio linguístico a nível vocabular e gramatical, de forma a poder aplicá-lo, principalmente, nas situações do quotidiano.

As unidades começam por uma visualização do diálogo principal, partindo depois para o desenvolvimento e aplicação das estruturas previamente seleccionadas em função do seu grau de dificuldade.

O contexto de utilização da unidade temática é expandido a partir de mini-diálogos que registam variadas situações com as quais o aluno se pode confrontar. Os registos lexicais adequados a cada unidade permitem o alargamento vocabular desejado.

A consolidação de conhecimentos adquiridos e a oportunidade de autocorrecção é dada através de alguns exercícios no final de cada unidade. Este livro tem ainda um apêndice gramatical que o aluno pode consultar ao longo do curso, além da *tradução contextuada* de algum vocabulário seleccionado em três línguas (Francês, Inglês e Alemão).

AS CASSETES

O livro tem o apoio de cassetes, onde estão gravados todos os diálogos de forma a que o aluno possa tomar contacto com falantes nativos, quer na aula, quer individualmente.

O CADERNO DE EXERCÍCIOS

Como complemento do livro, existem ainda um caderno de exercícios e 3 conjuntos de fichas de trabalho que permitem ao aluno desenvolver e praticar mais profundamente, quer as estruturas gramaticais, quer o vocabulário apresentado em cada uma da unidades.

No final é dada ao aluno a possibilidade de autocorrecção.

O que significa a palavra ..... ?

A palavra ...... é masculina ou feminina?

Repita, por favor!

INFORMAÇÕES GERAIS SOBRE PORTUGAL

Capital – Lisboa.

Moeda – Escudo.

Religião dominante – Catolicismo.

Superfície total – 91 631 km.

População – cerca de 10 400 000 habitantes.

Cidades principais – Lisboa, Porto, Coimbra, Amadora, Braga, Setúbal, Vila Nova de Gaia, Barreiro, Almada, Évora, Aveiro, Faro, Matosinhos.

Instituições – República. Constituição de 1982. Presidente da República eleito por 5 anos. Uma assembleia da República eleita por 4 anos.

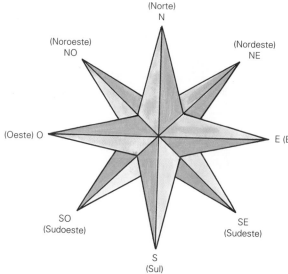

ÍNDICE

UNIDADE 0

ALFABETO

```
A H K W . . . . . . . . . . . . . . . . . . . . . . . . . . . . . . . . . . . . . . . . . . . . . . . . . . . /a/
B C D G P T V Z . . . . . . . . . . . . . . . . . . . . . . . . . . . . . . . . . . . . . . . . . . . . . /e/
E F L M N R S . . . . . . . . . . . . . . . . . . . . . . . . . . . . . . . . . . . . . . . . . . . . . /ʒ/
I X Y . . . . . . . . . . . . . . . . . . . . . . . . . . . . . . . . . . . . . . . . . . . . . . . . . . . /i/
J O . . . . . . . . . . . . . . . . . . . . . . . . . . . . . . . . . . . . . . . . . . . . . . . . . . . . /ç/
U . . . . . . . . . . . . . . . . . . . . . . . . . . . . . . . . . . . . . . . . . . . . . . . . . . . . . /u/
```

Nota importante: As letras estão associadas pela similaridade de sons.

SONS PORTUGUESES

Vogais e Ditongos

a	[a]	chá, já, cá, sofá, prato, falo
a	[ɐ]	conta, nota, rua, avenida, para
e	[ɛ]	café, até, pé, ela
e	[e]	português, inglês, francês, mês, ele
e	[ə]	noite, tarde, onde, ponte
e	[ ]	está, estado, estação
i	[i]	dizer, dia, visitar
i	[l]	mil, canil
i	[j]	partiu, fugiu, conseguiu
o	[ɔ]	só, nós, escola, óculos
o	[o]	ovo, cor, favor, dor, avô, calor
o	[u]	barco, falo, quanto, sapato, barato, caro
u	[u]	tu, tudo, tua, mudar, usar, indústria
u	[u]	azul, desculpe, cônsul
u	[w]	quanto, quando, quantidade, qualidade, quatro, quarenta
ai	[ɐj]	pai, praia, vai, sai, Maio
au	[au]	mau, autocarro, restaurante, causa
ei	[ej]	direita, leite, peixe, falei, comprei
eu	[eu]	eu, meu, Europa, comeu, bebeu
oi	[oj]	dois, oito, oitocentos, coisa, depois
ou	[ou]	sou, estou, vou, outro, pouco, falou
ui	[uj]	fui, cuidado

Vogais Nasais

ã am an	[ɐ̃]	amanhã, ambos, banco, manteiga
ão	[ɐ̃ũ]	não, pão, mão, limão, nação

9

em	[ẽj]	tem, vem, em, emprego
êm	[ẽj]	têm, vêm
en	[ẽ]	entre, vento, pente
im in	[ĩ]	sim, cinco, cinquenta
om on	[õ]	bom, bomba, conta
õe	[õj]	põe, limões
um un	[ũ]	um, mundo, junto, algum

Consoantes

b	[b]	barco, barato, bem
c	[s]	cem, cedo, cimento
c	[k]	casa, com, compras
ç	[s]	atenção, almoçar, dançar
ch	[ʃ]	chave, chuva, chá
d	[d]	dentro, dedo, dado
f	[f]	favor, fazer, fácil
g	[ʒ]	gente, gelado, viagem, gelo
g	[g]	gato, garganta
j	[ʒ]	já, Janeiro, loja
l	[ɫ]	lago, mil
lh	[ʎ]	milho, trabalho, mulher
m	[m]	marido, mar, matar
n	[n]	nada, nacional, nadar
nh	[r]	senhora, senhor, vinho, banho
p	[p]	postal, possível, pobre
q	[k]	qualidade, qual, quatro, quente, quem, quinze, aqui
r	[rr]	rua, rio, carro, correr
r	[r]	caro, para, moro
r	[r]	almoçar, comer, decidir
s	[s]	sapato, sempre, santo, observação
s	[z]	casa, casar, museu
s	[ʃ]	esquerda, está, isto
ss	[s]	passar, assado, passageiro
t	[t]	tarde, tenho, talvez
v	[v]	vento, vinho, vómitos
x	[ʃ]	xadrez, xarope, luxo, peixe
x	[s]	próximo, trouxe, máximo, auxiliar
x	[z]	exemplo, exacto, exagerar, exercer
x	[ks]	táxi, fixar, flexível, oxigénio
x	[ejs]	ex-marido, explicar, sexta
z	[z]	zero, zebra, Zaire
z	[ʃ]	feliz, faz, luz

UNIDADE 1

ARTIGOS DEFINIDOS

O
A
OS
AS

CONTRACÇÃO DO ARTIGO COM EM E A

O homem
O homem é o João.

A mulher
A mulher é a Maria.

Os rapazes
Os rapazes são o João e o Pedro.

As raparigas
As raparigas são a Maria e a Teresa.

Ele é **o** Sr. Ribeiro (**senhor**).
Ela é **a** D. Helena (**dona**).

A Teresa é **alta**.
A Maria é **baixa**.

O João é **alto**.
O Pedro é **baixo**.

A Maria está **na** praia.

O gato está **no** jardim.

O João está **nos** Correios.

Os sapatos estão **nas** montras.

ARTIGOS DEFINIDOS

	Singular		Plural	
Masculino	o	gato senhor homem	os	gatos senhores homens
Feminino	a	gata senhora mulher	as	gatas senhoras mulheres

Com contracção

a + o = **ao**
a + a = **à**
a + os = **aos**
a + as = **às**

O João telefona | **ao** Pedro.
| **à** Maria.

O José diz adeus | **aos** amigos.
| **às** amigas.

em + o = **no**
em + a = **na**
em + os = **nos**
em + as = **nas**

⎧ in / on / into

O João está | **no** jardim.
| **na** praia.

O João está **nos** Correios.
Os sapatos estão **nas** montras.

O homem está **zangado**.

A mulher está **zangada**.

O rapaz está **contente**.

A rapariga está **contente**.

O menino é **português**.

A menina é **portuguesa**.

O senhor é **alemão**.

A senhora é **alemã**.

SINGULAR	PLURAL	
o copo	os copos	
a chávena	as chávenas	
o senhor	os senhores	
o jornal	os jornais	
o pincel	os pincéis	
a noz	as nozes	
o ananás	os ananases	
o pão	os pães	
o limão	os limões	
a mão	as mãos	

15

1   Escolha entre **o, a, os, as** e complete os espaços vagos.

____O____ gato   ____O____ telefone

____as____ gatas   ____os____ Correios   (Post Office)

____O____ senhor   ____a____ rua

____as____ senhoras   ____o____ banco

____a____ gata   ____as____ cartas   (letters)

____O____ cão (dog)   ____os____ selos   (stamps)

2   Complete com a contracção correcta.

A Maria está ____na____ praia.

A Rosa está ____na____ rua.

O gato está ____no____ jardim.

O homem está ____no____ carro.   (car)

O João telefona ____ao____ Pedro.

O Pedro telefona ____ao____ Sr. José.

O José escreve ____à____ D. Catarina.

A Teresa escreve ____à____ mãe. (mother)

O senhor Melo diz adeus ____aos____ filhos.   (sons)

O senhor Pereira diz adeus ____às____ filhas.   (daughters)

3   No frigorífico há _____ **sete** (m) **OVOS** 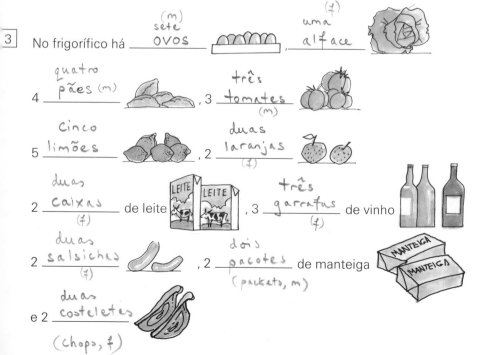 , _____ **uma** (f) **alface**

4 _____ **quatro pães** (m) , 3 _____ **três tomates** (m)

5 _____ **cinco limões** , 2 _____ **duas laranjas** (f)

2 _____ **duas caixas** (f) de leite , 3 _____ **três garrafas** (f) de vinho

2 _____ **duas salsichas** (f) , 2 _____ **dois pacotes** (packeto, m) de manteiga

e 2 _____ **duas costeletas** (chops, f)

COMO SE DIZ...

PORTUGUÊS	FRANCÊS	INGLÊS	ALEMÃO
o homem	l'homme	the man	der Mann
a mulher	la femme	the woman	die Frau
os rapazes	les garçons	the boys	die Jungen
as raparigas	les filles	the girls	die Mädchen
senhor (Sr.)	monsieur	Mr	Herr
senhora (Sr.ª D.)	madame	Mrs	Frau
alto	grand	tall	groß | von Wuchs
baixo	petit	short	klein |
na praia	à la plage	on the beach	am Strand
no jardim	dans le jardin	in the garden	im Garten
nos Correios	à la Poste	at the Post Office	auf dem Postamt
nas montras	en vitrine	in the shop-windows	in den Schaufenstern
telefonar |ao |à	téléphoner à	to phone	telefonieren (mit)
dizer adeus |aos amigos |às amigas	dire au revoir aux |amis |amies	to say good-bye to friends	den Freundinnen... den Freunden... auf Wiedersehen sagen
o telefone	le téléphone	the (tele) phone	das Telefon
a rua	la rue	the street	die Straße
o banco	la banque	the bank	die Bank
as cartas	les lettres	the letters	die Briefe
os selos	les timbres	the (postage-) stamps	die Briefmarken
o carro	la voiture	the car	das Auto
a mãe	la mère	the mother	die Mutter
os filhos	les enfants	the children	die Kinder

DONDE | É?
ÉS?

Where = Onde
from = de

DINHEIRO
NÚMEROS

PAÍS		NACIONALIDADE		LÍNGUA	MOEDA
ANGOLA		angolano	angolana	português	kwanza
MOÇAMBIQUE		moçambicano	moçambicana	português	metical
GUINÉ-BISSAU		guineense		português	peso
PORTUGAL		português	portuguesa	português	escudo
INGLATERRA		inglês	inglesa	inglês	libra
FRANÇA		francês	francesa	francês	franco
SUÉCIA		sueco	sueca	sueco	coroa
ALEMANHA		alemão	alemã	alemão	marco
BRASIL		brasileiro	brasileira	português	real

falar – to speak,
Sou da Inglaterra.

só
someate } only

15 —É sueco?
25 —Sim, sou.

37 —És inglês?
49 —Sim, sim, sou.

—És alemão? *'now' 'so'*
24 —Não, não sou.

68 —Fala inglês?
99 —Sim, falo um pouco.

100 —O Stefan fala japonês?
12 —Não, só fala sueco. *only*

3 —A Raquel fala mal português?
72 —Não, fala razoavelmente. *2 reasonably.*

34 —Donde é?
97 —Sou da Alemanha.

61 —Donde é o Raul?
28 —O Raul é da Guiné-Bissau.

—O João é angolano?
—Não é, não. É guineense.

—Fala português?
—Sim, falo.

—Fala francês?
—Não, não falo.

—O Jorge fala alemão?
—Fala muito pouco. *very*

—A Joana fala bem sueco?
—Sim, fala muito bem.

—O João fala francês?
—Sim, fala fluentemente.

—Donde és, Maria?
—Sou de Luanda.

—Donde é o Sr. Martins?
—O Sr. Martins é de Maputo.

🔤 VOCABULÁRIO

NÚMEROS CARDINAIS

Números de zero a dois milhões

0 zero	10 dez	20 vinte	100 cem
1 um/uma	11 onze	21 vinte e um	101 cento e um
2 dois/duas	12 doze	30 trinta	200 duzentos/as
3 três	13 treze	31 trinta e um	300 trezentos/as
4 quatro	14 catorze	40 quarenta	400 quatrocentos/as
5 cinco	15 quinze *kinzé*	41 quarenta e um	500 quinhentos/as
6 seis	16 dezasseis	50 cinquenta	600 seiscentos/as
7 sete	17 dezassete	51 cinquenta e um	700 setecentos/as
8 oito	18 dezoito	60 sessenta	800 oitocentos/as
9 nove	19 dezanove	61 sessenta e um	900 novecentos/as
		70 setenta	1000 mil
		71 setenta e um	1 000 000 um milhão
		80 oitenta	2 000 000 dois milhões
		81 oitenta e um	
		90 noventa	
		91 noventa e um	

v. fast and quiet

20

De 120 a 199:

120 cento e vinte
121 cento e vinte e um/uma
122 cento e vinte e dois/duas
123 cento e vinte e três
etc.

De 200 a 299, 300 a 399, etc.:

201 duzentos/as e um/uma
202 duzentos/as e dois/duas
203 duzentos/as e três
etc.

Milhares

1000 mil
2000 dois/duas mil
3000 três mil
100 000 cem mil
200 000 duzentos/as mil
300 000 trezentos/as mil
etc.

De 1001 a 1100, 2001 a 2100, etc., **mil** é seguido de **e**:

1001 mil e um/uma
1066 mil e sessenta e seis
2100 dois mil e cem

Milhões

1 000 000 um milhão
2 000 000 dois milhões
etc.

NÚMEROS ORDINAIS

1º/1ª	primeiro/a	*first*	6º/6ª	sexto/a
2º/2ª	segundo/a		7º/7ª	sétimo/a
3º/3ª	terceiro/a		8º/8ª	oitavo/a
4º/4ª	quarto/a		9º/9ª	nono/a
5º/5ª	quinto/a		10º/10ª	décimo/a

[Handwritten notes:]

Qual é o número
... do telefone da tua casa?

020 89483436

In Brazil 6 = meia
half (dozen)
(in telephone numbers)

Days of the week
Os dias da semana

Sunday — domingo
2ª-f   Monday — segunda-feira
3ª-f   Tuesday — terça-feira
Wednesday — quarta-feira
Thursday — quinta-feira
Friday — sexta-feira
Saturday — sábado

O fim-de-semana

DINHEIRO

Moedas

dez escudos

cinco escudos

um escudo =
cem centavos

vinte escudos

dois escudos e cinquenta
centavos = 25 tostões

cinquenta escudos

duzentos escudos

cem escudos

Notas

40 06.10.91

2 APOSTAS — 40$00 — 1 2
4 APOSTAS — 80$00 — 3 4
6 APOSTAS — 120$00 — 5 6
8 APOSTAS — 160$00 — 7 8
10 APOSTAS — 200$00 — 9 10

1 BENFICA-MARÍTIMO ......
2 FARENSE-PORTO ....
3 PENAFIEL-SPORTING
4 BOAVISTA-GIL VICENTE ....
5 U. MADEIRA-ESTORIL .....
6 BEIRA-MAR-TORRIENSE
7 BRAGA-P. FERREIRA ......
8 FAMALICÃO-CHAVES ......
9 ACADÉMICA-ESPINHO
10 OVARENSE-BELENENSES ...
11 A. VISEU-E. AMADORA ....
12 PORTIMONENSE-LEIXÕES ..
13 RIO AVE-TIRSENSE ....

MÚLTIPLAS — ASSINALE AQUI
O N.º DE APOSTAS (ver tabela)

2 3 4 6 8 9 12 16 18 24 27 32 36 48 54 64 72 81 96 108 128 144 162 192 216 243 256 288 324 384

NÃO ESCREVA NADA ABAIXO DESTA LINHA

MARQUE ASSIM ☒ NÃO ASSIM ☒
SE DESEJAR ANONIMATO EM CASO DE PRÉMIO, MARQUE X ▼

4234447

NOME José Sousa
MORADA Rua da Picota, 301 - 1º Esq.
LOCALIDADE Viana Castelo CÓDIGO POSTAL 4 9 0 0

EFECTUADO EM:
DATA 3/12/88 LOCALIDADE Lisboa

PARA CRÉDITO DA CONTA:
NOME DO BALCÃO COD/BALCÃO NÚMERO TIPO

A FAVOR DE NOME ▶ Manuel Pereira Gomes
MORADA ▶ Avenida do Brasil - Lisboa
POR ORDEM DE ▶ J. A. Lopes, Lda.
RELATIVO A ▶ pagamento de salário

	NÚMERO	BANCO/CTT	PRAÇA	IMPORTÂNCIA	
1	954321	B.P.S.M.	Lisboa	85	000$00
2					$
3					$
4					$
5					$
6					$
7					$
8					$

EXTENSO oitenta e cinco mil escudos

TOTAL DE CHEQUES ▶	85	000$00
NUMERÁRIO ▶		$
TOTAL DO DEPÓSITO ▶	85	000$00

CGD 273 – 17 800 000 ex. – 7/87

CARIMBO DE CAIXA
OS CRÉDITOS CORRESPONDENTES A CHEQUES E VALES DE CORREIO SÓ SE TORNARÃO EFECTIVOS APÓS COBRANÇA
◆ CERTIFICAÇÃO ◆

ASSINATURA

ESTE DOCUMENTO SÓ É VÁLIDO QUANDO AUTENTICADO POR CERTIFICAÇÃO OU CARIMBO E RÚBRICA DO CAIXA
ORIGINAL

Hoje é o dia 19 de Dezembro de 2001

23

Cheque

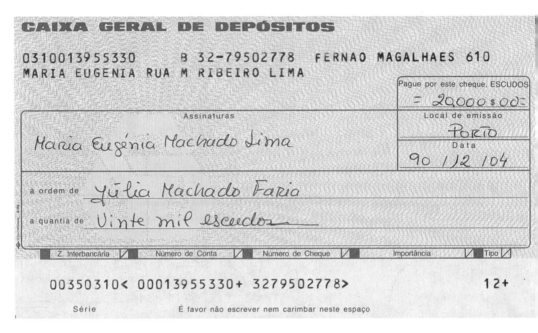

CAIXA GERAL DE DEPÓSITOS

0310013955330   B 32-79502778   FERNAO MAGALHAES 610
MARIA EUGENIA RUA M RIBEIRO LIMA

Pague por este cheque, ESCUDOS
= 20000$00=

Assinaturas	Local de emissão
Maria Eugénia Machado Lima	PORTO
	Data
	90 / 12 / 04

à ordem de   *Yúlia Machado Faria*

a quantia de   *Vinte mil escudos*

Z. Interbancária	Número de Conta	Número de Cheque	Importância	Tipo

00350310< 00013955330+ 3279502778>   12+

Série   É favor não escrever nem carimbar neste espaço

 *EXERCÍCIOS*

A. Preencha o cheque com a quantia indicada: 1 125 000$00.

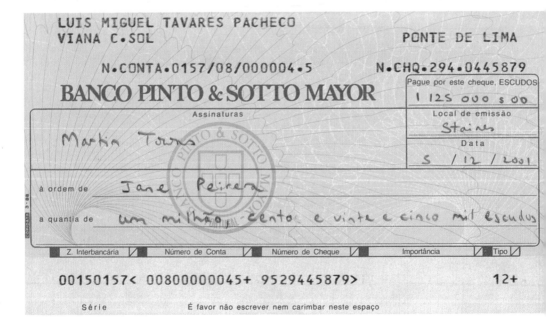

LUIS MIGUEL TAVARES PACHECO
VIANA C.SOL   PONTE DE LIMA

N.CONTA.0157/08/000004.5   N.CHQ.294.0445879

BANCO PINTO & SOTTO MAYOR

Pague por este cheque, ESCUDOS
1 125 000 $ 00

Assinaturas	Local de emissão
Martin Towns	Staines
	Data
	5 / 12 / 2001

à ordem de   *Jane Peireira*

a quantia de   *um milhão, cento e vinte e cinco mil escudos*

Z. Interbancária	Número de Conta	Número de Cheque	Importância	Tipo

00150157< 00800000045+ 9529445879>   12+

Série   É favor não escrever nem carimbar neste espaço

24

B. Escreva por extenso o preço dos produtos representados na imagem:

[handwritten note: libra = pounds (f)]

[handwritten notes in image: Dry = seco / medium-dry = meio-seco / sweet = doce / branco/tinto/rosé]

Ex.: *Presunto — dois mil duzentos e cinquenta escudos/kg*

[handwritten: custar — to cost]

[handwritten: produced with young grapes (dry)]

1　Uma garrafa de vinho verde branco

　　custa quatrocentos e noventa escudos

2　Uma garrafa de vinho do Porto

　　custa mil e quinhentos escudos

3　Uma garrafa de vinho maduro tinto *[handwritten: mature / red (of wine)]*

　　custa seiscentos e cinquenta e cinco escudos

4　Uma garrafa de cerveja **(beer)**

　　custa noventa escudos

5　Uma garrafa de água mineral *[handwritten: com gás / sem gás]*

　　custa setenta e oito escudos

6　Uma chávena de chá

　　[handwritten: chá (m) - tea / chávena (f) - cup]

　　custa cem escudos

Eu queria uma chávena de chá
(xícara)

[handwritten: I would like ... / brazilian form.]

PORTUGUÊS	FRANCÊS	INGLÊS	ALEMÃO
É sueco? (V. ser)	Êtes-vous suédois?	Are you Swedish?	Sind Sie Schwede?
Sim, sou.	Oui (Je le suis).	Yes, I am.	Ja, (bin ich).
Não, não sou.	Non, je ne le suis pas.	No, I'm not.	Nein, (bin ich nicht).
Fala inglês? (V. falar)	Parlez-vous anglais?	Do you speak English?	Sprechen Sie Englisch?
Falo um pouco.	Un peu.	I speak a little bit.	Ich spreche ein wenig.
Ele/Ela fala mal português.	Il/Elle parle mal portugais.	He/She doesn't speak Portuguese very well.	Er/Sie spricht schlecht Portugiesisch.
Ele/Ela fala razoavelmente.	Il/Elle parle raisonnablement.	He/She speaks reasonably.	Er/Sie spricht nicht sehr gut.
Ele/Ela fala muito bem.	Il/Elle parle très bien anglais.	He/She speaks very well.	Er/Sie spricht sehr gut.
Ele/Ela fala fluentemente.	Il/Elle parle couramment.	He/She speaks fluently.	Er/Sie spricht fließend.
Donde é?	D'où êtes-vous?	Where do you come from?	Woher kommen Sie?
Sou de...	Je suis de...	I come from...	Ich komme aus...
Escreva por extenso o preço... (V. escrever)	Écrivez en toutes lettres le prix...	Write in full the price...	Schreiben sie den Preis in Worten aus...

UNIDADE 3

ESTA É A TUA CASA?

DEMONSTRATIVOS
POSSESSIVOS

What is it that you have in your hand?

— O que é isso que tens aí na mão?
— Isto é uma prenda para a minha mãe.
— E aquilo em cima da mesa?   *to/for*
— É a tua prenda de Natal.

(that (over there)

— Esta é a tua casa?
— Sim, é a minha casa.   *uncle's*
— E a casa dos teus tios?
— A casa dos meus tios é aquela acolá,
  ao fim da rua.

(that over there

and this there infront of us, who's is it?

— E essa aí à nossa frente, de quem é?
— Essa é a casa do teu professor de
  português.

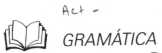

Act -
GRAMÁTICA

O que é isto?

DEMONSTRATIVOS

this   *that*   *that (over there)*

Variáveis	singular	este esta	esse essa	aquele aquela
	plural	estes estas	esses essas	aqueles aquelas
	Invariáveis	isto	isso	aquilo

neutral – no gender.

'may-oh'

POSSESSIVOS

my   *your*   *your (formal)*   *our*   *your (pl)*

	my	your	your (formal)	our	your (pl)
Singular	o meu (m) a minha (f)	o teu a tua	o seu a sua	o nosso a nossa	o vosso a vossa
Plural	os meus (m) as minhas (f)	os teus as tuas	os seus as suas	os nossos as nossas	os vossos as vossas

↑ articles used when writing.

o carro	dele
os carros	dela
	deles
	delas

Estas são as minhas canetas
– there are my pens

Estes são os meus livros
– there are my books.

Esse é o teu livro
Não, este não é o meu livro.

here : aqui
there : aí ("i.e." sound)
over there :
ali / lá / acolá
===

Vem cá
– come here (informal)
Venha cá (formal)

Este é o **meu** carro.

Este é o **nosso** carro.

Este é o **teu** carro.

Este é o **vosso** carro?

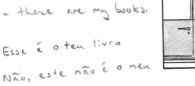

Este é o **seu** carro?

Este é o carro **dela**.

this one goes after → the noun.

dele
dela
deles
del...

ABC VOCABULÁRIO

Penso que sim – I think so
Penso que não – I don't think so.

O quarto

isto ... aqui
isso ... ai
aquilo ... ali

dormiste bem? =
you sleep well?

o travesseiro

1 — a cama – *the bed*
2 — os lençóis – *the sheets*
3 — a almofada – *the pillow*
4 — o cobertor – *the blanket*
5 — a coberta – *bed cover*
6 — a mesinha-de-cabeceira
7 — o roupeiro / *o guarda-roupa*
8 — a cómoda
9 — o roupão – *dressing gown*
10 — o pijama
11 — o despertador

importa-se de assinar?
do you mind signing?

A sala de estar

1 — a porta
2 — a parede
3 — o piano
4 — a televisão / *tevê*
5 — o cadeirão ("~~maple~~") / *poltrona (?)*
↑ also
airline seat
6 — a almofada
7 — o jornal
8 — a mesa de centro
9 — o sofá
10 — o relógio
11 — o rádio

12 — a carpete
13 — a cortina
14 — a janela
15 — o vaso
16 — o quadro
17 — a estante – *book shelf*
18 — o candeeiro
19 — a secretária
20 — a cadeira
21 — o banco – *stool / bench / bank*

posso?

May I

o relógio de parede
o relógio de pulso (wrist watch)
o despertador

29

Action – learn voces.

A cozinha

1 – o frigorífico (a geleira)	7 – a panela	13 – a faca knife
2 – a arca congeladora freezer	8 – a banca work top	14 – a colher spoon
3 – a mesa	9 – a torneira tap	15 – o copo glass / cup
4 – a cadeira	10 – o armário	16 – o guardanapo – napkin
5 – o fogão – hob	11 – o prato plate	17 – a toalha – table cloth
6 – o forno – oven	12 – o garfo fork	18 – a garrafa – bottle

A casa de banho / o banheiro

tooth brush

1 – a banheira bath	4 – a sanita toilet	7 – a escova dos dentes
2 – o chuveiro shower	5 – a toalha towel	8 – a pasta dos dentes
3 – o lavatório sink	6 – o espelho mirror	9 – o sabonete soap
		10 – o tapete rug.

toilete.

EXERCÍCIOS

A. Preencha os espaços vagos com o demonstrativo adequado (**este, esse, aquele**).

Queria ___ livro grande.

___ livro é bom?

___ livro é óptimo.

B. Complete os espaços vagos com os possessivos e os demonstrativos.

empty gaps

1. Onde está o teu carro? O _meu_ carro está em frente à tua casa.

2. Qual é a _sua_ nacionalidade? Sou sueco.

3. De quem é este passaporte? Esse passaporte é _meu_ .

4. Senhor Olson, onde estão as _suas_ malas? As _minhas_ malas estão no táxi.

5. O _meu_ *plane* avião parte agora, *now* e o vosso? O _nosso_ parte às 6 h.

6. Os _nossos_ filhos estão no infantário.

7. A Sofia brinca *plays* com as bonecas *dolls* e a mãe *mother* _dela_ vê televisão. *"mine" sound.*

8. Sr. Sá, onde está a _sua_ mulher?

9. _Isto_ é para si. *This is for you*

   mulher } *wife*   Marido ~ husband
   esposa }

10. O que é _aquilo_ lá ao longe?

   mulher ~ woman
   homem ~ man.

PORTUGUÊS	FRANCÊS	INGLÊS	ALEMÃO
O que é isso...?	Qu'est ce que c'est?	What is this?	Was ist das?
tens na mão (V. ter)	tu as à la main	you have in your hand	du hast in der Hand
uma prenda para...	un cadeau pour...	a gift for...	ein Geschenk für...
Natal	Noël	Christmas	Weihnachten
os tios	mon oncle et ma tante	aunt and uncle	die Onkel
ao fim de...	au bout de...	at the enf of...	am Ende der...
à nossa frente	devant nous	in front of us	vor uns
as malas	les valises	the suitcases	die Koffer
O avião parte agora! (V. partir)	L'avion part maintenant!	The plane is leaving!	Das Flugzeug startet jetzt!
o infantário	la maternelle	the kindergarden	der Kindergarten
Ela brinca com as bonecas. (V. brincar)	Elle joue à la poupée.	She is playing with dolls.	Sie spielt mit den Puppen.
é para si	c'est pour vous	(it) is for you	(das) ist für Sie
lá ao longe	là-bas au loin	there, in the distance	dort in der Ferne

- What day of the week is today?

Que dia da semana é hoje?

Hoje é quarta-feira (Wednesday)

Amanhã é quinta-feira (Thursday)

Depois de amanhã é sexta-feira (Friday)

Que dia da semana foi ontem

Ontem foi terça-feira (Tuesday)

Anteontem foi segunda-feira (Monday)

"con-je-sell-oh"

BOM DIA! (saudação)
MUITO PRAZER! (apresentação)

Este é o ....
Esta é a minha colega (= I present to your)
Sarah.

1

—Bom dia, Sr. Mondoloni.
—Bom dia, como está?
—Bem, obrigado. Apresento-lhe o Sr.
Melo, <u>chefe de vendas da empresa</u>.
—Muito prazer em conhecê-lo, Sr. Melo.

the companies
Sales manager

conhecê-lo — men
— las — women
— los — men / men + women
— las — women

2

—Boa tarde. Mário Monteiro, delegado
de vendas da Electrofer. — Sales Rep of
—Muito prazer, Sr. Monteiro. ...
—Muito prazer.

Eu sou ....

the same
really? really!
myself

3

—Peter Smith?
—<u>Sim, sou eu mesmo.</u> — can say this on the phone.
—Boa noite. Eu sou Mário Pimenta,
representante das Confecções Inson.
—Muito prazer em conhecê-lo.
—Muito prazer.

Sim, é ele mesmo
— yes, speaking (on the phone)

33

Bem - vindo — *homen*
Bem - vinda — *mulher*
Bem - vindos — *homens / (homens e mulheres*
Bem - vindas — *(somente mulheres)*

Welcome

4

—Bom dia, Sr. Jacob. Bem-vindo a
 Portugal.
—Muito obrigado. Estou muito
 satisfeito por estar cá. / *aqui*
—A viagem correu bem?
—Correu bem, obrigado.

Bem-vindo ao Brasil

5

—Boa noite. Como está?
—Bem, obrigado. E o senhor?
—*also* —<u>Também</u> estou bem, obrigado.
 Apresento-lhe a Elisabete, a minha
 mulher.
—Muito prazer, minha senhora.

my lady
(formal)

namorada — girl friend
namorado — boy friend
noivo — fiancé
nova
parceiro } partner
parceira

6

—Boa tarde, Raquel.
—Boa tarde, Sr. Sousa.
—Bem disposta? — *Are you well?*
—Óptima. — *Fine / great*

Como está o senhor hoje?

Como o senhor está hoje?

34

7
—Olá, João.
—Olá, Pedro. Estás bom?
—Estou óptimo. Olha, este é o Paulo.
—Olá.

8
—É portuguesa?
—Não, sou angolana.
—Como se chama?
—Chamo-me Catarina.
—E eu chamo-me José.

9
—Como se chama a menina?
—Chama-se Sara,
—Quantos anos tem ela?
—Tem 3 anos.
—Olá, Sara. Eu sou a Cristina.
—Olá, Cristina.

morning

on Monday

Momentos do dia	• manhã (de manhã) *– in the afternoon* • tarde (de tarde) *afternoon* • noite (à noite) *at night*

Dias da semana

segunda-feira (1)	anteontem		• na segunda
terça-feira	ontem		• na terça
quarta-feira	**hoje**		• ...
quinta-feira	amanhã		• ...
sexta-feira	depois de amanhã		• ...
sábado (m) domingo (m)	fim-de-semana *week end.*		• no sábado domingo

It is too late = É tarde demais

I am late = Eu estou atrasado

The plane is delayed = o avião está atrasado.

1988/89	DEZEMBRO/JANEIRO

26 Segunda
18H - ir ao dentista

27 Terça
9H - reunião com o chefe de departa-mento
12.30H - almoço no Restaurante Tabanca com ó Eng.º Silva

28 Quarta
10H - visita à Fábrica de Canifícios
14.30H - encontro com os funcionários

29 Quinta
18H - jogo de ténis com o Luís Amaral

30 Sexta
- Reservar quarto no Hotel
- escrever ao Director de Manu-tenção da Companhia AMC

31 Sábado
- comprar prenda de anos para a Julieta

1 Domingo
Solenidade da St.ª Mãe de Deus
anos da Julieta

DEZEMBRO	12	JANEIRO	1
48 49 50 51 52		52 1 2 3 4 5	
S 5 12 19 26		2 9 16 23 30	
T 6 13 20 27		3 10 17 24 31	
Q 7 14 21 28		4 11 18 25	
Q F 15 22 29		5 12 19 26	
S 2 9 16 23 30		6 13 20 27	
S 3 10 17 24 31		7 14 21 28	
S 4 11 18 F		F 8 15 22 29	

52.ª Semana   BLOCO SEMANAL HIPPOCAMPUS

It is too early - É cedo demais
I am early - Eu estou adiantado/a

1 9 9 1

JANEIRO	FEVEREIRO	MARÇO
D S T Q Q S S	D S T Q Q S S	D S T Q Q S S
F 2 3 4 5	1 2	1 2
6 7 8 9 10 11 12	3 4 5 6 7 8 9	3 4 5 6 7 8 9
13 14 15 16 17 18 19	10 11 12 13 14 15 16	10 11 12 13 14 15 16
20 21 22 23 24 25 26	17 18 19 20 21 22 23	17 18 19 20 21 22 23
27 28 29 30 31	24 25 26 27 28	24 25 26 27 28 F 30 P

ABRIL	MAIO	JUNHO
D S T Q Q S S	D S T Q Q S S	D S T Q Q S S
1 2 3 4 5 6	F 2 3 4	1
7 8 9 10 11 12 13	5 6 7 8 9 10 11	2 3 4 5 6 7 8
14 15 16 17 18 19 20	12 13 14 15 16 17 18	9 F 11 12 13 14 15
21 22 23 24 F 26 27	19 20 21 22 23 24 25	16 17 18 19 20 21 22
28 29 30	26 27 28 29 30 31	23 24 25 26 27 28 29 30

JULHO	AGOSTO	SETEMBRO
D S T Q Q S S	D S T Q Q S S	D S T Q Q S S
1 2 3 4 5 6	1 2 3	1 2 3 4 5 6 7
7 8 9 10 11 12 13	4 5 6 7 8 9 10	8 9 10 11 12 13 14
14 15 16 17 18 19 20	11 12 13 14 F 16 17	15 16 17 18 19 20 21
21 22 23 24 25 26 27	18 19 20 21 22 23 24	22 23 24 25 26 27 28
28 29 30 31	25 26 27 28 29 30 31	29 30

OUTUBRO	NOVEMBRO	DEZEMBRO
D S T Q Q S S	D S T Q Q S S	D S T Q Q S S
1 2 3 4 F	F 2	F 2 3 4 5 6 7
6 7 8 9 10 11 12	3 4 5 6 7 8 9	F 9 10 11 12 13 14
13 14 15 16 17 18 19	10 11 12 13 14 15 16	15 16 17 18 19 20 21
20 21 22 23 24 25 26	17 18 19 20 21 22 23	22 23 24 N 26 27 28
27 28 29 30 31	24 25 26 27 28 29 30	29 30 31

Os Meses do ano

Em
- Janeiro
- Fevereiro
- Março
- Abril
- Maio
- Junho
- Julho
- Agosto
- Setembro
- Outubro
- Novembro
- Dezembro

one month = o mês

10 am Mon. 21

a semana — o segundo
o mês — o minuto
o ano — a hora
o dia

Feriados nacionais em Portugal

- Dia de Ano Novo — 1 de Janeiro
- Dia da Liberdade — 25 de Abril
- Festa do Trabalho — 1 de Maio
- Dia de Portugal — 10 de Junho
- Assunção de Nossa Senhora — 15 de Agosto

- Implantação da República — 5 de Outubro
- Todos-os-Santos — 1 de Novembro
- Restauração da Independência — 1 de Dezembro
- Imaculada Conceição — 8 de Dezembro
- Natal — 25 de Dezembro

Feriados — bank holidays
as férias — holidays / vacation.

Estações do ano

(*Na*) Primavera   (*No*) Verão   (*No*) Outono   (*No*) Inverno

Spring   *outono*

37

Saudações — *greetings*

• encontro *(meeting)*

Como está?
(formal)

Bom dia

Boa tarde

Boa noite

Olá!

Estás bom/boa?

Tudo bem?
(expressão brasileira)

• despedida *(farewell)*

Até logo

Até amanhã

Até segunda

Até breve

Até à próxima

Adeus

'til next time

Expressar um desejo

No Natal . . . . Feliz Natal!
No Ano Novo . . . . Bom Ano!
Na Páscoa. . . . . Boa Páscoa!
Num aniversário . . . . Parabéns! *(congratulations)*
Num casamento . . . . Felicidades!
Antes de uma viagem . . . . Boa viagem!
Antes de partir para férias. . . . . Boas férias!
Antes do fim-de-semana. . . . . Bom fim-de-semana!

Espero que você faça uma boa viagem

as **Refeições**

• pequeno-almoço (m.)

• almoço (m.) *lunch*

• lanche (m.) *tea*

• jantar (m.) *dinner*

a refeição — the meal

*o café da manhã
= breakfast (Brazilian)*

Espero que você tenha uma viagem tranquila!

O que comes no lanche?

No lanche comemos pão, bolo e tomamos chá ou café

Expressar uma opinião e um sentimento ← feeling

• **aprovar**

• É BOM
• GOSTO
• AGRADA-ME
• GOSTO MUITO
• ADORO
• É DELICIOSO!
• É ÓPTIMO!
  don't pronounce "p".

• **desaprovar**

• É MAU
• NÃO GOSTO (MUITO)
• NÃO ME AGRADA
• NÃO GOSTO NADA
• DETESTO ← at all
• NÃO PRESTA! — rubbish
• É HORRÍVEL!

EXERCÍCIOS

Complete os diálogos.

1 — Bom dia. Como **está** ?

— Bem, obrigado. E o Senhor?

— Também estou **bem** , obrigado.

2 — **Olá** , Miguel.

— Olá, Gary. **Como** **estás** ?

— Estou **bem** , e tu?

3 — Bom dia, António. **Este** é o meu amigo Carlos.

— **Olá** , Carlos, **estás** bom?

4 — Como está, Sr. Miguel?

— **Muito** **bem** **obrigado** . Apresento-lhe o engenheiro Roberts.

— **Muito** **prazer** .

— Muito prazer.

5 — **Bem-vindo** a Portugal, Sr. Nilsson.

— Obrigado. Estou **muito** **satisfeito** por estar cá.

PORTUGUÊS	FRANCÊS	INGLÊS	ALEMÃO
Bom dia!	Bonjour!	Good morning!	Guten Morgen!
Como está? (V. estar)	Comment allez vous?	How are you?	Wie geht es Ihnen?
Bem, obrigado.	Bien, merci.	Fine, thank you.	Danke, gut.
Apresento-lhe... (V. apresentar)	Je vous présente...	I'd like to introduce you to...	Ich stelle Ihnen... von
chefe de vendas da empresa	chef des ventes de l'entreprise	sales manager of the firm	Verkaufsleiter der Firma
Muito prazer em conhecê-lo. (V. conhecer)	Enchanté de vous connaître.	I'am very pleased to meet you.	Sehr angenehm.
Boa tarde!	Bonjour!	Good afternoon!	Guten Tag!
representante das confecções	représentant des confections	representative of ready--made clothes	Konfektionsvertreter/in
Bem-vindo a...	Bienvenu au en aux	Welcome to...	Willkommen in...
Estou satisfeito por estar cá.	Je suis content d'être là.	I'm pleased to be here.	Ich bin mit meinem Aufenthalt zufrieden.
A viagem correu bem? (V. correr)	Le voyage s'est bien passé?	Did you have a pleasant journey?	Hatten Sie eine angenehme Reise?
Bem disposta?	En forme?	Are you well?	Wie geht's?
Óptima!	Excellent!	Very well!	Sehr gut!
Como se chama? (V. chamar-se)	Comment vous appelez--vous?	What is your name?	Wie heißen Sie?
Chamo-me...	Je m'appelle...	My name is...	Ich heiße...
Quantos anos tem?	Quel âge avez-vous?	How old are you?	Wie alt sind Sie?
Feliz Natal!	Joyeux Noël!	Merry Christmas!	Fröhliche Weihnachten!
Bom Ano!	Bonne Année!	Happy New Year!	Frohes Neues Jahr!
Boa Páscoa!	Joyeuses Pâques!	Happy Easter!	Frohe Ostern!
Felicidades!	Beaucoup de bonheur!	Good luck!	Viel Glück!
Parabéns!	Joyeux anniversaire!	Congratulations!	Glückwunsch!
Boa viagem!	Bon voyage!	Have a nice trip!	Gute Reise!
Boas férias!	Bonnes vacances!	Have a nice holiday-time!	Schöne Ferien!
Bom fim-de-semana!	Bon Weekend	Have a nice weekend!	Schönes Wochenende!

UNIDADE 5

COMO ESTÁ?

UTILIZAÇÃO DOS VERBOS **SER** E **ESTAR**

Jorge Reis é português e recebe, no seu escritório, Sven Strandberg, um cliente sueco que está em Portugal em viagem de negócios.

Jorge Reis—Bom dia, Sven, como está?

Sven Strandberg—Bem, obrigado. Estou muito satisfeito por estar outra vez em Portugal. É Inverno, mas o tempo está bom.

Jorge Reis—Na Suécia, agora, está muito frio e já está a nevar, não é verdade?

Sven Strandberg—Sim, sim. A temperatura normal nesta época do ano é de 10° negativos. Fora de casa está muito frio.

Jorge Reis—Bom, são nove e um quarto, está na hora da reunião.

41

GRAMÁTICA

SER (qualidade ou condição permanente)

ESTAR (sentimentos, qualidades ou condição temporária)

eu	**sou**
tu	**és**

você ele/ela	**é**

nós	**somos**

vocês eles/elas	**são**

estou
estás

	está

estamos

	estão

Ser

- O Sr. Sven é sueco?
- O Jorge é alto.
- Eles são amigos.
- Eu sou um homem de negócios. *— businessman.*
- Nós somos clientes.
- Ela é casada. *She is married*
- São 3 horas.

Estar

- Eu estou contente. *I'm glad*
- A senhora está de pé. *— standing*
- Eles estão em Portugal.
- Estamos no Inverno.
- Como está o tempo aí? *there*
- O tempo está bom!
- Está calor! *It's hot!*

MINI-DIÁLOGOS

Formal

1

Carlos — Como está?

Jeff — Bem, obrigado. E o senhor?

Carlos — Também estou bem, obrigado.

Jeff — O senhor é moçambicano?

Carlos — Não, sou angolano.

Informal

2

Peter — Olá, estás bom?

José — Estou bem, obrigado.

Peter — O tempo, hoje, está óptimo, não achas? *don't you think?*

José — Sim, está calor e estou contente porque vou à praia. *because*

Peter — Então, até logo. *see you later then.*

José — Até logo.

42

 *VOCABULÁRIO*

ESTAR
Como está?

Estado físico e psicológico

Eu **estou**
- bem ≠ mal
- contente ≠ triste – glad / sad
- satisfeito/a
- aborrecido/a – bored
- doente – ill
- constipado/a – I have a cold
- gripado/a – "   "   flu
- preocupado/a – worried.

Como está o tempo?

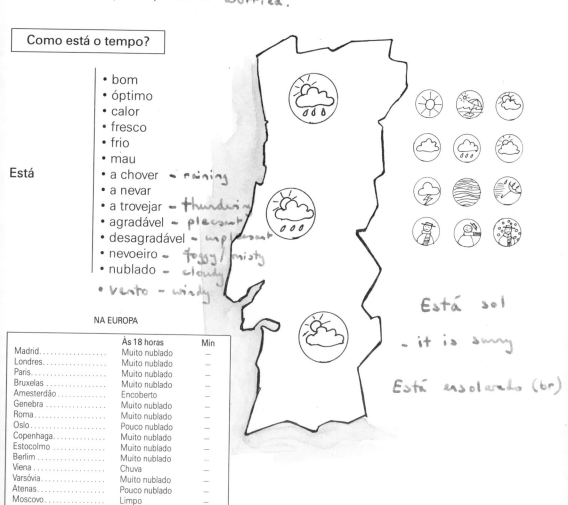

Está
- bom
- óptimo
- calor
- fresco
- frio
- mau
- a chover – raining
- a nevar
- a trovejar – thundering
- agradável – pleasant
- desagradável – unpleasant
- nevoeiro – foggy / misty
- nublado – cloudy
- vento – windy

Está sol
– it is sunny

Está ensolarado (br)

NA EUROPA

	Às 18 horas	Min
Madrid	Muito nublado	–
Londres	Muito nublado	–
Paris	Muito nublado	–
Bruxelas	Muito nublado	–
Amesterdão	Encoberto	–
Genebra	Muito nublado	–
Roma	Muito nublado	–
Oslo	Pouco nublado	–
Copenhaga	Muito nublado	–
Estocolmo	Muito nublado	–
Berlim	Muito nublado	–
Viena	Chuva	–
Varsóvia	Muito nublado	–
Atenas	Pouco nublado	–
Moscovo	Limpo	–

SER

Nacionalidade

Sou
- português/portuguesa
- inglês/inglesa
- francês/francesa
- angolano/a
- moçambicano/a
- cabo-verdiano/a
- são-tomense
- guineense
- sueco/a
- alemão/alemã

Mas

Estou
- em Portugal
- em Inglaterra
- em França
- em Angola
- em Moçambique
- em Cabo Verde
- em S. Tomé
- na Guiné
- na Suécia
- na Alemanha

Profissões

Sou
- engenheiro/a
- médico/a
- enfermeiro/a — nurse
- operário/a — operator / laborer
- agricultor/agricultora
- professor/professora
- secretário/a
- economista
- mecânico/a

Descrição

Ele/Ela é
- alto/a
- baixo/a
- gordo/a
- magro/a — thin
- loiro/a — blonde
- moreno/a — dark / brunette
- simpático/a
- antipático/a
- tímido/a
- agradável
- interessante

Estado civil

Ele/Ela é
- solteiro/a
- casado/a
- divorciado/a
- viúvo/a

Que horas são?

É/São

- meio-dia (doze horas)

- uma hora (treze horas)

- meia-noite (vinte e quatro horas)

São

- dez horas

- dez e cinco

- dez e dez

- dez e um quarto

- dez e meia

- onze menos um quarto

- onze menos dez

- onze menos cinco

A. Complete com o verbo **ser** ou **estar** as frases seguintes:

1   Eu ___sou___ uma pessoa trabalhadora.

2   Tu ___és___ uma mulher inteligente.

3   Nós ___estamos___ satisfeitos.

4   Eles ___são___ muito pobres.   (poor)

5   Sr. Dias, ___está___ contente por estar em Angola?

6   Lennart, como ___está___ o tempo na Suécia?

7   Ele ___é___ português, porque nasceu em Portugal.

8   ___É___ uma hora.

9   ___São___ cinco e um quarto.

10   A Maria não ___é___ a secretária do Dr. Oliveira.

11   Os senhores ___são___ jornalistas?

12   Nós não ___somos___ católicos.

13   A Joana e a Teresa ___são___ solteiras.

14   Amanhã ___está___ feriado.

3. Jogue às palavras cruzadas com as condições climatéricas.

C. Como estão eles?

Ex.: 1. *Ele está zangado.*

2. Ela está contente

3. Ele está triste

4. Ele está doente

5. Ela está constipada

6. Ele está bêbado

7. Ela está cansada

8. Ele está preocupado

9. Ele está aborrecido

Como é?

Ex.: 1. *Ele é gordo.*

2. Ele _é casado_

3. A estrada _é longa_

4. O livro _é grosso_

5. O homem _é magro_

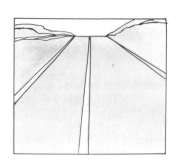

6. O filme _é mau_
(bad)

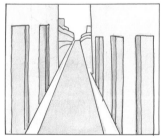

7. A estrada _é estreita_

8. O saco _é pesado_

9. As camisolas _são baratas_ (cheap)

10. A tartaruga _é lenta_
(slow)
vagorosa

11. O homem _é rico_

12. O casaco _é caro_

49

PORTUGUÊS	FRANCÊS	INGLÊS	ALEMÃO
viagem de negócios	voyage d'affaires	business trip	Geschäftsreise
Agora... já está a nevar.	Maintenant il neige.	Now it's snowing.	Nun schneit es.
fora de casa	dehors	outside (the house)	außer Haus/draußen
Está na hora da reunião.	C'est l'heure de la réunion.	It's time for the meeting.	Es ist Zeit für die Versammlung.
A senhora está de pé.	La dame est debout.	The lady is standing.	Die Dame steht.
Como está o tempo aí?	Quel temps fait-il là-bas?	What is the weather like there?	Wie ist dort das Wetter?
Porque vou a...	Parce que je vais...	Because I'm going to...	Weil ich nach... gehe.
Até logo.	À toute à l'heure.	See you later.	Bis später.
pessoa trabalhadora	travailleuse	a hard-working person	ein Arbeitsmensch
Ele nasceu em Portugal. (V. nascer)	Il est né au Portugal.	He was born in Portugal.	Er ist in Portugal geboren.

como = how / as / like   quer – wants

tem saudade – he misses

sogro – father-in-law

melhor – better

coração – heart

levar – to take

50 cunhada – sister-in-law

E O SEU MARIDO, QUANDO VEM DE MOÇAMBIQUE?

VERBO TER E VIR

CONTRACÇÕES DE+O... DE+ELE...

A família Ribeiro recebe na sua casa uma velha amiga, Sofia, cujo marido trabalha como cooperante em Moçambique. O assunto da conversa é a família do marido da Sofia.

[handwritten notes: whose · as a volunteer · the subject · husband's family]

P. Ribeiro — Sofia, o que toma como aperitivo, um vinho do Porto?

Sofia — Não, tenho muita sede. Prefiro um refresco.

P. Ribeiro — E o seu marido, quando vem de Moçambique?

Sofia — Não tenho a certeza, mas provavelmente vem já no próximo mês. Ele tem saudade dos filhos, como é natural.

P. Ribeiro — Aqui tem o seu refresco. O seu sogro está melhor?

Sofia — Está um pouco melhor, mas como já tem 80 anos e sofre do coração temos de o levar frequentemente ao médico.

P. Ribeiro — Ele continua a viver com a sua cunhada, não é?

Sofia — Sim, o meu sogro quer estar lá, porque gosta muito dos netos.

[handwritten notes: sede – thirsty · probably · grand-children]

51

GRAMÁTICA

PRESENTE DO INDICATIVO

	TER	VIR
eu	tenho	venho
tu	tens	vens
você ele/ela	tem	vem
nós	temos	vimos
vocês eles/elas	têm	vêm

Does this road have an exit?

Atenção: **ter de/ter que**
exprime necessidade, obrigação ou decisão de praticar uma acção.

- **Tenho de** sair imediatamente. – *I have to leave* — *take on immediately action*
- **Temos que** fazer este trabalho ainda hoje. — *we have to do this job still today.*
- Esta estrada **tem** saída? Não, não **tem**.
- **Tem** selos de correio? **Tenho** sim. — *Do you have stamps*
- Quantos anos **tem**? **Tenho** 19 anos.
- **Têm** muita pressa? Sim, **temos** de apanhar o comboio. — *Yes, we have to catch the train.*
- Quando (é que) o David **vem** do Brasil? Na próxima semana.

Are you in a hurry?   *'é que' emphasises the question.*

Expressões com o verbo ter

- ter sorte
- ter azar
- ter razão

- ter calor
- ter frio
- ter saúde

- ter fome
- ter apetite
- ter sede

- ter a certeza
- ter pressa
- ter saudades

beira-mar — by the sea

Contracções

de = from/of

de + o = **do**
de + a = **da**
de + os = **dos**
de + as = **das**

de + ele = **dele**
de + ela = **dela**
de + eles = **deles**
de + elas = **delas**

só = only

- Tens o passaporte **do** Jorge? Não, só tenho o bilhete **dele**.
- Gostas **das** férias à beira-mar? Gosto, mas prefiro a calma **da** montanha.
- Quantos quartos tem a casa **dos** teus amigos? Tem 5 quartos.
- Tens o guarda-chuva **da** Joaninha? Não, só tenho a boneca **dela**.

umbrella   *doll*

1

—Quantos filhos tem o teu irmão?
—Tem só um rapaz, mas a minha cunhada quer outro filho.
—E quantos anos tem o rapaz?
—Tem 4 anos.

2

—Está calor. Tenho muita sede.
—Queres ir tomar uma bebida ao Café Central?
—Boa ideia, vamos lá. Mas não quero demorar muito porque tenho pressa.

3

—A que horas vens jantar?
—Hoje venho mais tarde, porque tenho uma reunião na fábrica.
—O teu irmão vem contigo?
—Sim, vem.

4

—Donde vens?
—Venho da casa dos meus tios.
—O teu primo está melhor?
—Está um pouco melhor, mas ainda tem dores.
—Então vou visitá-lo amanhã.

VOCABULÁRIO

a família

o avô ⟩ os avós
a avó

o pai ⟩ os pais
a mãe

o tio/a tia   uncle/aunt
o sobrinho/a sobrinha   nephew/niece
o cunhado/a cunhada   brother-in-law
o primo/a prima – cousin
o sogro/a sogra – father-in-law
o genro/a nora – son-in-law/daughter-in-law
o marido/a esposa (a mulher)   husband/wife
o neto ⟩ os netos
a neta   grandson/daughter
o irmão ⟩ os irmãos
a irmã   brother/sister

o filho – the son
a filha – daughter
os filhos – sons + daughters.

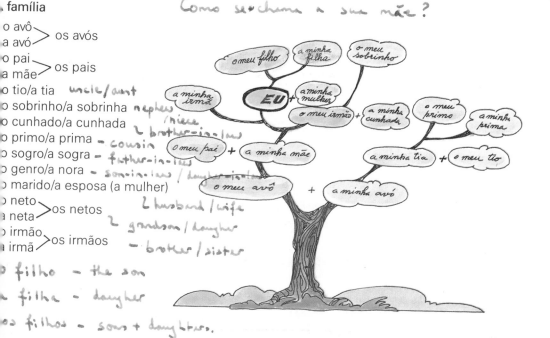

Como se chama a sua mãe?

o meu filho · a minha filha · o meu sobrinho · a minha irmã · EU + a minha mulher · o meu irmão + a minha cunhada · o meu primo · a minha prima · o meu pai + a minha mãe · a minha tia + o meu tio · o meu avô + a minha avó

 **EXERCÍCIOS**

A. Aplique os verbos **ter** e **vir**.

1 O meu filho _tem_ 6 anos.

2 O sobrinho do Sr. Pedrosa _vem_ de França amanhã.

3 A que horas é que vocês _vêm_ almoçar?

4 _Tem_ postais ilustrados da Serra da Estrela?

5 Jorge, _tens_ a certeza que a Teresa _vem_ hoje?

6 Os avós _têm_ razão; as crianças não _vêm_ de avião, mas de comboio.

7 Eu _tenho_ que visitar a tia do João ainda hoje.

8 Angélica, quantos anos _tens_ ?

9 As crianças _têm_ saudades dos pais.

as soon as possible

10 Estamos muito atrasados. _Temos_ que apanhar um táxi o mais depressa possível.

mais — more

B. Substitua as expressões sublinhadas pelas contracções **dele, dela, deles, delas**.

1 Estes postais são do Pedro e da Maria.

postais — postcards

Estes postais são _deles_ .

2 A ideia é da Rosa.

A ideia é _dela_ .

we met

3 Ontem encontrámos o sogro do António.

Ontem encontrámos o sogro _dele_ .

4 A Sofia é prima da Cristina e da Cecília.

A Sofia é prima _delas_ .

Complete as frases.

A FAMÍLIA

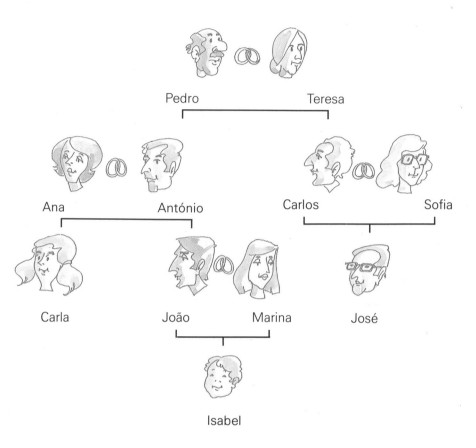

Pedro   Teresa

Ana   António   Carlos   Sofia

Carla   João   Marina   José

Isabel

1 A Ana é ___esposa___ do António.

2 O Pedro é ___marido___ da Teresa.

3 A Teresa é ___mãe___ do Carlos e do António. O Pedro é

___pai___ deles.

4 A Carla e o João são ___filhos___ da Ana e do António e

___netos___ do Pedro e da Teresa.

5 A Isabel é ___filha___ da Marina e do João.

PORTUGUÊS	FRANCÊS	INGLÊS	ALEMÃO
O que toma?	Qu'est-ce que vous prenez?	What would you like to drink?	Was trinken Sie?
cujo marido	dont le mari	whose husband	dessen/deren Ehemann
Trabalha como... (V. trabalhar)	Il est...	He works as a...	Arbeitet als...
Tenho muita sede.	J'ai très soif.	I'm very thirsty.	Ich habe großen Durst.
Não tenho a certeza.	Je n'en suis pas sûre.	I'm not sure.	Ich weiß es nicht genau.
Ele tem saudades...	Il a de la nostalgie...	He misses...	Er vermißt/sehnt sich nach...
Aqui tem...	Voici...	Here you are...	Hier ist...
Esta estrada tem saída?	Est-ce une rue sans issue?	Is it a dead-end road?	Ist das eine Sackgasse?
Têm muita pressa?	Vous êtes pressés?	Are you in a hurry?	Haben Sie es sehr eilig?
ter sorte	avoir de la chance	to be lucky	Glück haben
ter razão	avoir raison	to be right	Recht haben
ter azar	ne avoir pas de chance	to be unlucky	Pech haben
ter saúde	avoir de la santé	to be healthy	Gesund sein
ter fome	avoir faim	to be hungry	Hunger haben
ter apetite	avoir de l'appétit	to have an appetite	Appetit haben
Gostas das férias à beira-mar?	Aimes-tu les vacances à la mer?	Do you like holidays at the seaside?	Magst du Strandferien?
Boa ideia, vamos lá.	Bonne idée, allons-y.	Good idea, let's go.	Gute Idee, laß uns gehen.
Não quero demorar muito. (V. querer)	Je ne veux pas être long(ue).	I don't want to spend too much time.	Ich will mich nicht lange aufhalten.
contigo	avec toi	with you	mit dir
Donde vens?	D'où viens-tu?	Where are you coming from?	Woher kommst du?
Vou visitá-lo amanhã. (V. visitar)	Je lui visiterai demain.	I'll visit him tomorrow.	Ich werde ihn morgen besuchen.
A que horas é que...	À quelle heure...	At what time...	Um wieviel Uhr...
de comboio	en train	by train	mit dem Zug
Estamos muito atrasados.	Nous sommes très en retard.	We are very late.	Wir sind sehr spät dran.
O mais depressa possível.	Le plus vite possible.	As quickly as possible.	So schnell wie möglich.

O QUE TOMA?

ESTRUTURA INTERROGATIVA
PRESENTE DO INDICATIVO DOS VERBOS EM -AR

O Sr. Dupont encontra o Sr. Pereira num bar e convida-o a tomar uma bebida.

invites him

André Dupont — Boa tarde, Sr. Pereira.

Filipe Pereira — Boa tarde, Sr. Dupont. Muito gosto em vê-lo novamente.

see you *again*

André Dupont — O que toma?

Filipe Pereira — Tomo um martini.

André Dupont — Eu tomo um vinho do Porto. Gosto muito do Porto seco como aperitivo.

usually have...

Filipe Pereira — Costuma tomar um Porto todos os dias?

André Dupont — Não, só quando janto com os amigos, ou se celebro alguma data especial.

some

GRAMÁTICA

PRESENTE DO INDICATIVO

-AR (TOMAR)

Interrogativa	Afirmativa		Negativa
	eu	tomo	não tomo
Tomas alguma coisa?	tu	tomas	não tomas
Toma um vinho do Porto?	você ele/ela	toma	não toma
	nós	tomamos	não tomamos
Tomam um café?	vocês eles/elas	tomam	não tomam

— **Jantas** em casa ou no restaurante?
— Hoje, **janto** em casa.

---

voltar – to come back

	Estrutura interrogativa
— **Quando** voltas de Itália? — Volto no próximo mês.	• Quando . . . . ?
— **Onde** mora? — Moro na Avenida de Roma, em Lisboa.	• Onde (é que) . . . . ?
— **Donde** é? — Sou do Norte do Brasil.	• Donde . . . . ?
— **Para onde** vai este autocarro? *Where is this bus going to?* — Vai para o centro da cidade.	• Para onde . . . . ?
— **Quanto** custa esta garrafa de vinho verde? — Custa 800$00.	• Quanto . . . . ?
— **Quantas** divisões tem o andar? *How many rooms has the floor?* — Tem 5 divisões.	• Quanto/a/os/as . . . . ?
— **Quem** joga hoje com o Benfica? *Who plays with/against Benfica today?* — É o Futebol Clube do Porto.	• Quem. . . . . ?
— **Porque** (é que) não compras um apartamento? *Why don't you buy an apartment?* — Porque de momento não tenho dinheiro. *money.*	• Porque. . . . . ?
— **(O que) Que** tomam como aperitivo? — Um Porto meio-seco.	• (O) que . . . . ?
— **Qual** dos senhores está primeiro? — Eu. *(me)*	• Qual/Quais . . . . ?
— **Como** se chama? — Chamo-me Isabel Martins.	• Como. . . . . ?

—Quanto custa a papaia? *cada uma*
—Custa 80$00 cada uma. *- each one*
—Então queria três, por favor.
—São 240$00.
—Obrigada.
—De nada. Até logo.

Então - so/then

arrives

—Por favor, a que horas chega o avião de
Londres? *usually*
—Costuma chegar às 17 h, mas hoje está
atrasado. Só chega às 17 h 30 m.
—Obrigado. *only*
—De nada.

lit. what do you wish?

—Faz favor, o que deseja?
—Queria um galão e uma torrada com
manteiga. *hot* *warm*
—Deseja o galão quente ou morno?
—Morno, se faz favor.

galão - large white coffee
torrada com manteiga - toast + butter

—Desculpe, onde fica o Hotel Central?
—Fica na Avenida D. Afonso Henriques,
perto do Museu de Arte Moderna.
—Como posso ir para lá? *How can I go there?*
—Apanha nesta paragem o autocarro nº 10,
que o deixa mesmo à frente do hotel.
—Muito obrigado pela informação.

perto de - near to

which leaves you right in front of the hotel.

VOCABULÁRIO

gostar pouco de... +	não gostar de... −
gostar muito de... ++	não gostar nada de... −−
adorar... +++	detestar... −−−

, to travel.

Gosta de viajar?	Adoro		
Gostam de passear?	Adoramos		
			muito
Gostas de jogar ténis? *↳go out*	Gosto		bastante *— quite a lot*
Gostam de nadar? *↳ to swim*	Gostamos		pouco
Gostas de ler?			nada
Gostas de ver televisão?	Não gosto		mesmo nada
Gostam de futebol? *— watching football.*	Não gostamos		
Gostas de ir ao cinema?	Detesto		
Gostam de ir às compras?	Detestamos		

↳going shopping

Actividades do dia
- tomar banho
- tomar o pequeno-almoço
- trabalhar
- cozinhar
- almoçar
- lavar │ a roupa *— wash clothes*
          │ a louça *— wash dishes*
- lanchar *— afternoon snack*
- praticar desporto
- jantar
- conversar

EXERCÍCIOS

A. Encontre as perguntas para as seguintes respostas:

1 _Gosta desta cidade ?_

—Sim, gosto muito desta cidade.

2 _Como se chama ?_

—Chamo-me Cristina Maria.

3 _Onde ~~moram?~~ moram ?_

—Moramos na rua D. João V.

4 _O que toma ?_

—Tomo um vinho do Porto.

5 ___Donde _~~somos~~ são ?___ ?
—Somos do Norte de Inglaterra.

6 ___Quando chegam a Portugal ?___ ?
—Chegamos a Portugal na segunda-feira.

7 ___Quando regressa ao seu país ?___ ?
—Regresso ao meu país no próximo ano.
  └ to return
8 ___Quem é o/aquele senhor ?___ ?
—Aquele senhor é o director-geral da companhia.

3. Preencha os espaços vazios com o verbo mais conveniente. /to cost /to buy
/to arrive

| falar, telefonar, trabalhar, costumar, chegar, custar, fabricar, comprar |

└ to be accustomed to └ to make

1 A que horas __chega__ o avião?

2 Paulo, quando é que __compras__ um carro novo?

3 Sr. Mota, quando é que __fala__ com o gerente do banco?

4 Raquel, porque é que não __telefonas__ já aos teus pais?

5 O que é que a vossa empresa __fabrica__ ? /company

6 Quanto é que __custa__ um litro de gasolina em Portugal?

7 Quantas horas por dia é que os senhores __trabalham__?

8 Não __costumo__ beber bebidas alcoólicas.

C. Coloque em ordem as palavras:

| se chama Como é que filha mais nova ? a sua |

_____ ?

| O que da portuguesa ? comida é que pensa |

_____ ?

| pagar Quem é que a conta ? costuma |

_____ ?

PORTUGUÊS	FRANCÊS	INGLÊS	ALEMÃO
Muito gosto em vê-lo novamente!	Très heureux de vous revoir!	How nice to meet you again!	Wie nett, Sie wieder-zusehen!
Costuma tomar...?	Vous prenez toujours...?	Do you normally drink...?	Trinken Sie für gewöhnlich...?
Só quando janto...	Seulement quand je dîne...	Only when I'm having dinner...	Nur wenn ich zu Abend esse...
Onde mora?	Où habitez-vous?	Where do you live?	Wo wohnen Sie?
Para onde...?	Où...?	Where to...?	Wohin...?
Quanto custa...?	Combien coûte...?	How much is it...?	Wieviel kostet es...?
Quem joga...?	Qui joue...?	Who plays...?	Wer spielt...?
Porque (é que)...?	Pourquoi...?	Why...?	Warum...?
Qual dos senhores...?	Lequel de ces messieurs...?	Which man...?	Wer von den Herren...?
Então queria...	Alors je voudrais...	Then I'd like...	Dann hätte ich gern...
De nada.	De rien.	Not at all.	Gern geschehen.
Por favor.	S'il vous plaît.	Please.	Bitte.
Se faz favor.	S'il vous plaît.	Please.	Bitte.
Desculpe, onde fica o Hotel Central?	Excusez-moi, où se trouve l'Hôtel Central?	Excuse me, where is the Hotel Central?	Entschuldigung, wo ist das Hotel Central?
Perto de...	Près de...	Near/Close (to)...	Nahe bei/In der Nähe (von)...
Como posso ir para lá?	Comment puis-je y aller?	How do I get there?	Wie komme ich dort hin?
Muito obrigado pela informação.	Je vous remercie votre information.	Thank you for the information.	Vielen Dank für die Auskunft.

UNIDADE 8

QUANTO CUSTA?

ARTIGOS INDEFINIDOS
IDEIA DE FUTURO PRÓXIMO

Um senhor quer comprar uma camisa leve para usar em África; dirige-se a uma loja e, depois de experimentar uma, decide-se a levar <u>um tamanho acima</u>.

[handwritten annotations: "light", "to drive", "and after trying one", "a bigger size."]

Empregada — Boa tarde. O que deseja?

Rolf — Boa tarde. Queria comprar uma camisa leve para levar para África.

Empregada — Com certeza. Que tamanho usa, por favor?

Rolf — Dantes usava o 38, mas agora, como estou um pouco mais gordo, <u>preciso</u> do 39.

Empregada — Que cores prefere?

Rolf — Prefiro verde claro ou bege.

Empregada — Aqui estão. Pode experimentar naquela cabina <u>à direita</u>.

Alguns momentos depois...

Rolf — Está muito apertada. Preciso de um tamanho maior.

Empregada — Vou dar-lhe o número acima.

Roef — Esta já deve estar bem. Vou levá-la. Quanto custa?

Empregada — O preço é 7500$00. <u>Pode pagar na caixa.</u> Muito obrigada.

Rolf — Obrigado. Até logo.

[handwritten annotations: "to take", "I need", "on the right", "tight", "& you can pay the cashier."]

63

GRAMÁTICA

Verbo IR

eu	vou
tu	vais
você ele/ela	vai
nós	vamos
vocês eles/elas	vão

- comprar
  - to buy — vou
- levar
  - to take/carry — vais
  — vai
- buscar
  - to fetch/look for — vamos
- trazer *- to bring* — vão
- dar *- to give*

ir buscar
- to fetch

Ideia de futuro próximo

- levar o meu filho ao infantário
- buscar o meu filho ao infantário
- trazer artesanato de África

levar
trazer
ir buscar

cloth ↘

ARTIGOS INDEFINIDOS

um/uma
uns/umas

- **Queria um** tecido branco às bolas azuis.
- Vou comprar **um** tecido estampado para fazer **uma** saia.
- Queria **uns** sapatos número 38.
- Vais comprar **umas** calças de fazenda aos quadrados.

MINI-DIÁLOGOS

1 — Queria umas luvas pretas, por favor.
— De lã ou de pele?
— Prefiro de lã. São mais quentes. Quanto custam?
— 2500$00.

black (race)
= negro

2 — O que deseja?
— Queria ver umas gravatas às riscas.
— De seda ou de algodão?
— De algodão são mais baratas, não são?
— Sim, bastante mais.

barato/a - cheap
caro/a - expensive

3 — Já está atendida?
— Não. Queria um vestido de Verão de tecido leve.
— Temos vários modelos. Pode escolher à vontade.
— Gosto daquele azul de manga curta que está na montra.
— Quer experimentar?
— Sim, gostava muito. Onde são as cabinas?
— Ao fundo, à direita.

4 — Boa tarde. Quanto custa aquela carteira castanha que está na montra?
— 15 800$00, minha senhora. Deseja vê-la?
— Sim, sim, se não se importa.
— Aqui está. É bonita e o modelo está na moda.
— Estou de acordo. Vou levá-la. Posso pagar por cheque?
— Com certeza. Esteja à vontade.

5 — Este vestido não me fica bem, está muito largo. Tem o número abaixo?
— Temos aqui outro modelo, quer experimentar?
— Sim. Gosto desse que tem na mão. Vou experimentá-lo.

Exprimir uma opinião

Its cool / wicked!
Its beautiful
It suits you
What a beautiful dress!

É GIRO!
É BONITO!
FICA-TE BEM!
QUE LINDO VESTIDO!
ESTÁ ELEGANTÍSSIMO!

you are very elegant!

Hs ugly
don't like
doesn't suit you

É FEIO!
NÃO GOSTO!
NÃO TE FICA BEM!
ESTÁ APERTADO! — *its too tight*
ESTÁ PEQUENO! — *its small*
É GRANDE DEMAIS!

its too big!

é fiche - its cool (Angola)

é legal - its cool.

vestir - to dress   despir - to undress.

wool - lã
silk - seda
cotton - algodão
linen - linho
knitted - tinha

umas meias - some socks.

1 — uns brincos some earrings
2 — um colar a necklace
3 — umas luvas some gloves
4 — um cinto a belt
5 — um cachecol a scarf
6 — uma saia a skirt
7 — uma blusa a blouse
8 — uns óculos some glasses
9 — umas botas some boots
10 — uma camisa a shirt
11 — uma gravata a tie
12 — uma camisola a jumper
13 — um casaco a coat
14 — umas calças some trousers
15 — uns sapatos some shoes
16 — uma gabardina a raincoat
17 — um guarda-chuva
       an umbrella.

azul
azuis (pl)
encarnado - red
marron is also brown.

(Eu) queria

uma T-shirt / camiseta

vestido - dress

cor-de-rosa

- umas calças azuis ☐ blue
- uma blusa verde ☐ green
- um casaco vermelho ☐ red
- umas meias pretas ☐ black
- uma camisa branca ☐ white
- uma saia castanha ☐ brown
- uma gravata cinzenta ☐ grey
- uma gabardina bege ☐ beige
- um cachecol amarelo ☐ yellow
- um vestido cor-de-laranja ☐ orange
- umas luvas roxas ☐ purple
- azul-escuro ☐ darker
- azul-claro ☐ lighter

um fato - a suit

um fato de banho
     — swim suit.

uma camisa de
mangas curtas
— short sleeve shirt

Hoje uso uma...
visto uma...
} today I am wearing

EXERCÍCIOS

Ⓐ Preencha os espaços escolhendo frases que estão dentro de um rectângulo.

> — Azul-claro
>
> — Não, obrigada. É tudo.
>
> — O 38.
>
> — Queria experimentar uma blusa bordada.

Vendedora — Que deseja?

Cliente — _Queria experimentar uma blusa bordada_

Vendedora — Que tamanho é que usa?

Cliente — _O trinta e oito_

Vendedora — Não deseja experimentar mais nada?

Cliente — _Não, obrigada, é tudo_

Ⓑ Complete as frases com **um, uma, uns, umas.**

1 Vou comprar __um__ vestido de seda

2 Vais comprar __uma__ saia e __um__ casaco de malha?

3 Queria experimentar __um__ tamanho mais pequeno.

4 O João vai comprar __umas__ calças novas.

5 O Pedro vai comprar __uns__ óculos de sol.

C. Complete com as palavras sugeridas pela imagem, seguindo o exemplo dado, e utilizando o verbo SER ou ESTAR.

Ex.: 1. *Esta camisola está larga*

2. Esta saia _está_ _apertado_

3. Esta blusa _é_ _às bolas_

4. Estas calças _estão_ _compridas_

5. Este vestido _está_ _curto_

6. Esta gravata _é_ _às riscas_

leather

7. As mangas da blusa _estão longas_

8. A camisola _é de_ _lã_

9. Este casaco _é_ _de pele_

leather is also couro

67

PORTUGUÊS	FRANCÊS	INGLÊS	ALEMÃO
uma camisa leve	une chemise légère	a light shirt	ein leichtes Hemd
um tamanho acima	la taille au-dessus	one size larger	eine Nummer größer
Com certeza.	Certainement.	I see.	Aber natürlich.
dantes	avant	I used to be	früher
Preciso de...	J'ai besoin...	I need...	Ich benötige/brauche...
Aqui estão.	Les voici.	Here they are.	Hier sind sie.
maior	plus grand(e)	bigger	größer
Vou dar-lhe...	Je vais vous donner...	I'll give you...	Ich werde Ihnen...geben.
Esta já deve estar bem.	Celle-ci doit vous aller.	This one will be just fine.	Dies ist schon richtig.
Vou levá-la.	Je vais la prende.	I'll take it.	Ich werde es nehmen.
umas calças	un pantalon	trousers	eine Stoffhose
bastante mais	assez	rather more	ziemlich mehr
Já está atendida?	On s'occupe de vous?	Is anyone serving you?	Werden Sie schon bedient?
Pode escolher à vontade.	Vous pouvez choisir.	Which one would you like?	Wählen Sie in Ruhe aus.
Ao fundo, à direita.	Au fond, à droite.	Straight ahead, on the right.	Dort hinten, rechts.
Se não se importa...	Si cela ne vous dérange pas...	If you don't mind...	Wenn es Ihnen nichts ausmacht...
O modelo está na moda.	Ce modéle est à la mode.	This design is in fashion.	Das Modell ist gerade modern.
Estou de acordo.	Je suis d'accord.	I agree.	Ich bin einverstanden.
Este vestido não me fica bem.	Cette robe ne me va pas.	This dress doesn't suit me.	Dieses Kleid steht mir nicht gut.
o tamanho abaixo	la taille en-dessous	the smaller size	die kleinere Größe
É giro!	C'est joli!	It's pretty/nice!	Das ist hübsch!

ESTÁ DENTRO DA MALA...

PREPOSIÇÕES E LOCUÇÕES PREPOSITIVAS

Edite — Teresa, onde está a minha camisola verde?
Teresa — Está dentro da mala de couro que está em cima do armário do quarto.
Edite — O armário que está à direita da porta?
Teresa — Sim. É mesmo esse.

- A Diana está **no meio** da Clara e do Manuel.
- A Clara está **atrás** da Diana.
- O Manuel está **à frente** da Diana.

Diana

Clara

Manuel

BILHETEIRA

à esquerda   à direita

- O carro cinzento vem **da direita**.

- O carro preto vem **da esquerda**.

dentro de

ao lado de

à frente de
or em frente

em cima de

debaixo de
= embaixo

por baixo
— below
underneath

por cima de
over /
above

para dentro de

fora
— out

para fora de

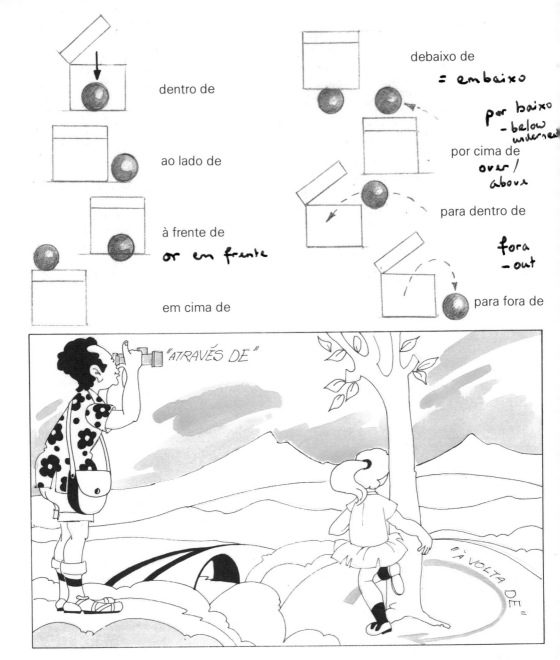

"ATRAVÉS DE"

"À VOLTA DE"

- A criança corre **à volta** da árvore.
- O turista vê a paisagem **através** dos binóculos.
I view *'through'*

Para	direcção finalidade	**Por**	*local* *tempo* *meio* ~ *by means of* *causa*
• ir a		• Eu vou **a** Lisboa.	
• ir **para**		• Eu vou **para** Lisboa.	
• ir **por**		• Eu vou **por** Lisboa.	

Eu vou para Luanda
pela África do Sul

Nós recebemos a carta
pelo correio.

1
—Para onde vai este autocarro?
—Vai para o Estoril.
—Passa por Belém?
—Não. Vai por Monsanto.

2
—Para quem é este ramo de flores?
—É para a minha mulher. Hoje ela faz anos.

3
—A que horas chegas ao Porto?
—Por volta das 18 h.
—A essa hora estou em casa. Podes passar por lá.

4
—Como vais mandar a encomenda?
—Pelo correio.
—O meu pai vai esta semana para Luanda. Podes mandá-la por ele.

5
—Onde ficam os Correios?
—Ficam na Avenida da Boavista, em frente ao cinema Charlot e junto ao Banco Comercial.

6
—Desculpe, a livraria S. Paulo fica antes ou depois dos Armazéns Peixoto?
—Nem antes, nem depois. Fica justamente por baixo dos Armazéns Peixoto.

7
—Quem é que mora por cima do supermercado Paga Pouco?
—Não mora ninguém, mas ao lado mora a família Fonseca.

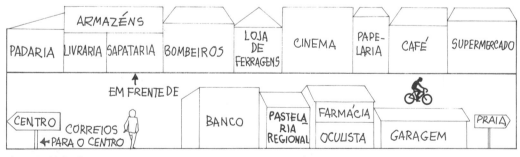

- A papelaria fica **perto** do supermercado.
- O café fica **junto** da papelaria.
- A livraria e a sapataria ficam **por baixo** dos armazéns.
- Os armazéns ficam **por cima** da livraria e da sapataria.
- A loja de ferragens fica **entre** os Bombeiros e o cinema.
- A papelaria fica **ao lado** do café.
- O carro vai **para** o centro da cidade.

 **EXERCÍCIOS**

A. Repare na figura desenhada na página anterior e complete as frases.

1 Onde fica a sapataria? Fica *debaixo* dos armazéns e *junto* da livraria.

2 Onde fica o cinema? O cinema fica *entre* a loja das ferragens e a papelaria.

3 Onde fica a Pastelaria Regional? Fica *do lado oposto* à loja de ferragens.

4 Onde fica o supermercado? Fica *junto* do café.

5 Para onde vai o ciclista? O ciclista vai *para* a praia.

6 Onde fica o oculista? O oculista fica *debaixo* da farmácia.

7 Onde vai a senhora? Ela vai *por* a sapataria.

B. Responda às perguntas.

EM CIMA DE

PARA CIMA DE

DENTRO DA PALHOTA

DEBAIXO DE

1 Onde está o abutre? _O abutre esta em cima da palhota_

2 E o homem, onde está? _O homem está dentro da palhota_

3 E o elefante? _O elefante está debaixo da árvore_

4 Para onde sobe o macaco? _O macaco sobe para cima da árvore_

C. Há dez ladrões neste desenho. Onde estão?

thieves

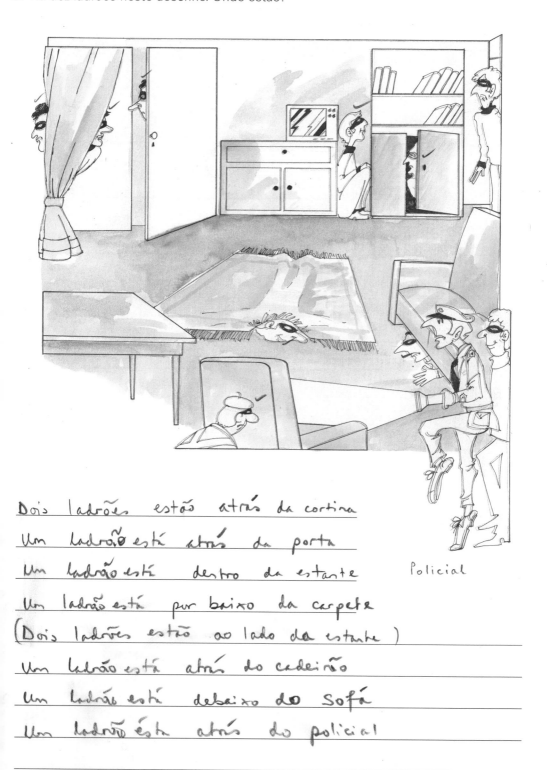

Policial

Dois ladrões estão atrás da cortina

Um ladrão está atrás da porta

Um ladrão está dentro da estante

Um ladrão está por baixo da carpete

(Dois ladrões estão ao lado da estante)

Um ladrão está atrás do cadeirão

Um ladrão está debaixo do sofá

Um ladrão está atrás do policial

PORTUGUÊS	FRANCÊS	INGLÊS	ALEMÃO
O armário que está...	L'armoire qui est...	The wardrobe which is...	Der Kleiderschrank der... ist
É mesmo esse.	Oui, celui-là.	It's exactly that one.	Genau der (selbe) ist es.
Para onde vai...?	Où va...?	Where is it going to...?	Wohin fährt...?
Passa por...?	Il passe par...?	Does it passe by (for)...?	Fährt (er) über...?
Para quem é...?	C'est pour qui...?	Who's it for...?	Für wen ist...?
Ela faz anos.	C'est son anniversaire.	It's her birthday.	Sie hat Geburtstag.
Por volta das 18 horas.	Vers 18 heures.	At about 6.00 pm.	Gegen 18 Uhr.
Podes mandá-la por ele.	Tu peux l'envoyer par lui.	You can send it with him.	Du kannst es ihm mitgeben.
Nem antes, nem depois.	Ni avant ni après.	Neither before nor after.	Weder davor noch dahinter.
Fica justamente...	C'est exactement...	It's exactly...	Es liegt genau...
Não mora ninguém.	Personne n'y habite.	Nobody lives there.	Da wohnt niemand.

PODIA DIZER-ME ONDE FICA A FARMÁCIA...?

UTILIZAÇÃO DO IMPERATIVO

ook for

business trip

Peter, um engenheiro mecânico inglês, está em Portugal em viagem de negócios e procura uma farmácia. Dirige-se a João, que lhe dá informações sobre a localização da Farmácia Lemos.

gives him, it's near here

about

go straight ahead

Peter — Boa tarde. Por favor, podia dizer-me onde fica a farmácia mais próxima?
João — Sim, com certeza. Fica perto daqui. Siga em frente, até aos semáforos;

traffic lights

turn left
      aí vire à esquerda até chegar ao cruzamento mais próximo.
      Precisamente na esquina do lado direito fica a Farmácia Lemos.
Peter — Quanto tempo demora a pé?
João — São, talvez, cinco minutos.
Peter — Como se chama essa rua, por favor?

it seems to me

João — Bom, não me lembro muito bem, mas parece-me que é a Avenida
      Cristóvão Colombo. *remember*
Peter — Muito obrigado. Boa tarde.
João — Boa tarde.

• **Actividade:**
Depois de ler e ouvir o diálogo, assinale no mapa o caminho que o Peter deve percorrer.

 **GRAMÁTICA**

IMPERATIVO
Verbos regulares

to turn ← *to drink*

-AR (VIRAR)	-ER (BEBER)	-IR (DECIDIR)
vira (tu)	bebe	decide
vire (você)	beba	decida
virem (vocês)	bebam	decidam

to turn → (VIRAR)   *to decide* → (DECIDIR)

- **Fale** mais devagar, por favor.   *Speak more slowly, please*
- **Meta** 2500$00 de gasolina super.   *Put in*   *traduzir*
  - *(not in Brazil)*
- **Repita**, por favor.
- **Sente-se**, faz favor.   *pôr/colocar = to put (br)*
- **Sentem-se**, fazem favor.

please be seated.

Verbos irregulares

to follow → SEGUIR

SER	ESTAR	TER	IR	SEGUIR	TRAZER
sê (tu)	está	tem	vai	segue	traz
seja (você)	esteja	tenha	vá	siga	traga
sejam (vocês)	estejam	tenham	vão	sigam	tragam

- **Seja** franco.   *be honest*
- **Esteja** à vontade.
- **Tenha** cuidado!   *take care!*   *"make yourself comfortable"*
- **Vá** sempre em frente.   *Go always in front*
- **Sigam** por esta estrada.   *Follow this road.*
- **Traga**-me um copo de água, se faz favor.   *(to bring)*   *bring me a glass of water, please.*

 MINI-DIÁLOGOS

1

corte — turn / *vire!*

Sara — Desculpe, o Consulado Britânico fica perto daqui?

Luís — Bem, fica um pouco longe, mas é fácil. Corte na primeira à direita e, depois de passar em frente ao Hospital S. José, vire no primeiro cruzamento e é na segunda transversal à esquerda.   *crossroads*

Sara — Obrigada.   *crossing road.*

2

Kate — Por favor, onde ficam os Correios?

Maria — Ficam perto daqui. Vá sempre em frente e ao cimo da rua, ao lado direito, ficam os Correios.

Kate — Obrigada.

Maria — De nada.

3

Jeff — Faz favor, esta é a estrada para Coimbra?

Cecília — Não, o senhor está enganado. Tem de voltar atrás e apanhar a estrada principal.
Aí, corte no primeiro cruzamento à esquerda e continue sempre em frente até ver
o sinal indicativo de auto-estrada.

you have to go back

ga + go + gu - hard g
ge + gi - soft j sound.

T ymseu

4

to go to

André — Por favor, para ir para a Avenida Marechal Saldanha?

Sílvia — Siga sempre em frente e vire à esquerda no próximo cruzamento.

(!)

abc VOCABULÁRIO

T follow

rotunda — roundabout

Para ir para	
• o centro da cidade?	
• o Hotel Solmar?	
• a Rua Gago Coutinho?	
• a estação?	
• a praça de táxis?	
• o Museu de Arte Moderna?	
• o posto de polícia mais próximo?	
• o aeroporto?	

Continue...
Vá...
Siga...
Vire...
(Corte)... | sempre em frente

• Na rotunda
• Na avenida
• Na praça
• No cruzamento
• Nos semáforos (sinais) — *traffic lights*
• Antes da ponte — *before the bridge*
• Depois da passagem-de-nível — *after the level crossing.*

vire

• à direita
• à esquerda
• na primeira rua
• na segunda rua

Fica
(É)

• a 5 minutos a pé
• a 20 minutos de carro
• perto
• longe
• já aqui — *right here*
• acolá — *over there*
• à direita de — *on the right*
• à esquerda de " *left*
• em frente de
• atrás de
• ao lado de
• junto a — *next to*
• ao cimo de — *at the top / end of*
• próximo de
• do lado oposto de — *on the opposite side*
• ao fundo de — *at the back / bottom*
• na esquina de — *on the corner.*

Por favor,

• diga(-me)... *tell me . .*
• informe(-me)...
• mostre(-me)... *show me . .*
• explique(-me)...
• podia(-me) dizer... *could you tell me*
• pode(-me) dizer... *can "*
• não se importa de me
  dizer... *don't you mind telling me .*
• é capaz de me dizer...
  can you tell me . . .

(A.) Faça perguntas que se adaptem às respostas indicadas abaixo.

[1] _Por favor, fica longe para ir para os Correios_ ?   _à pé_
— Não, fica perto daqui. É já ao fim desta rua.

[2] _Há algum hotel perto daqui_ ?
— Não, não há nenhum hotel nesta rua.   _algum - some / any_
   any / none

[3] _Diga-me onde fica o supermercado_ ?
— Vire à direita e é ao lado do banco.

[4] _Onde ficam as bombas de gasolina ?_ ?
— Ficam na Praça D. Pedro V.

[5] _É longe ?_ ?
— Leva cinco minutos a pé.

[6] _Fica perto ?_ ?
— Dez minutos de carro.

(B.) — Observe o mapa da página seguinte e situe-se no Hotel Alameda.
Responda às perguntas abaixo indicadas.

[1] — Por favor, para ir para os escritórios da TAP?   _os escritórios_
_Vire na segunda rua, e) ficam
à direita_

[2] — Desculpe, é esta a estrada para o aeroporto?
Não, no cruzamento vire à direita

[3] — Por favor, informe-me onde é o hospital.
_Continue sempre em frente, o hospital
é à direita._

• Actividade:

Situe-se na estação de caminho-de-ferro. Diga ao visitante onde fica o Hotel Alameda.

(No porto) vire à esquerda. Antes das bombas de gasolina vire à direita. Vá sempre em frente. O Hotel Alameda fica à direita, depois do hospital.

PORTUGUÊS	FRANCÊS	INGLÊS	ALEMÃO
Podia dizer-me...	Pourriez-vous me dire...	Could you tell me...	Könnten Sie mir sagen...
que lhe dá	qui lui donne	who gives him	der ihm... gibt
informação sobre...	des informations sur...	information about...	Auskunft über...
a farmácia mais próxima	la pharmacie la plus proche	the nearest chemist	die nächste Apotheke
perto daqui	près d'ici	nearby	nahe (bei)
Siga em frente até...	Suivez en face jusqu'à...	Go straight ahead until...	Gehen Sie geradeaus bis...
Quanto tempo demora a pé?	Combien de temps met-on à pied?	How long does it take on foot?	Wie lange dauert das zu Fuß?
Bom, não me lembro muito bem...	Et bien, je ne me rappelle pas très bien...	Well, I don't remember very well...	Also, ich erinnere mich nicht sehr gut...
Parece-me que...	Je crois que c'est...	It seems to me that...	Es scheint mir, daß...
Esteja à vontade.	Soyez à l'aise.	Make yourself at home.	Fühlen Sie sich ganz wie zu Hause.
Tenha cuidado!	Faites attention!	Take care!	Seien Sie vorsichtig!
Corte na primeira...	Prenez la première...	Turn at the first...	An der Ersten abbiegen...
O senhor está enganado.	Vous vous êtes trompé.	You're wrong.	Sie sind hier falsch.
já aqui	c'est là / ici	right here	genau hier
Não há nenhum hotel...	Il n'y a aucun hôtel...	There isn't a hotel...	Es gibt hier kein Hotel...
Leva cinco minutos a pé.	C'est cinq minutes à pied.	It takes five minutes on foot.	Zu Fuß dauert es fünf Minuten.

enterder
compreender } to understand

dever — might / should / must

Faz favor
Faça o favor } please (inf)
                      (formal)

O AVIÃO SÓ PARTE DAQUI A DUAS HORAS.

within

PRESENTE DO INDICATIVO DOS VERBOS EM -ER, -IR
EXPRESSÕES DE TEMPO

Um homem de negócios que quer apanhar o avião para o Porto chama um táxi e conversa com o motorista.

Henry — Para o aeroporto, se faz favor.

Taxista — Com certeza. Está com pressa?

Henry — Não. O avião só parte daqui a 2 horas.

Taxista — O senhor compreende bem português. Vive cá?   *companies*

Henry — Não vivo, mas tenho muitos negócios com empresas portuguesas e venho a Portugal muitas vezes.

Taxista — Então já conhece Lisboa.   *quite well*

Henry — Sim, conheço bastante bem e tenho muitos amigos lisboetas.

Taxista — Estamos a chegar. Quer ficar na entrada dos voos domésticos ou internacionais?

Henry — Fico na entrada dos voos domésticos, porque vou para o Porto. Quanto lhe devo?   *flights*

Taxista — São 1550$00.

Henry — Faça o favor. Fique com o troco.

Taxista — Obrigado. Boa viagem.

keep the change.   *how much do I owe you*

81

GRAMÁTICA

VERBOS TERMINADOS EM -ER E -IR (regulares)

COMPREENDER

| eu | compreendo |
| tu | compreendes |

| você
ele/ela | compreende |

| nós | compreendemos |

| vocês
eles/elas | compreendem |

PARTIR

| eu | parto |
| tu | partes |

| você
ele/ela | parte |

| nós | partimos |

| vocês
eles/elas | partem |

Algumas irregularidades

to be able

to lose (miss)

	PODER	QUERER	SABER	PERDER
eu	**posso**	quero	**sei** "say"	**perco**
tu	podes	queres	sabes	perdes
ele	...	**quer**	...	...

	PREFERIR	SEGUIR	DORMIR	PEDIR
eu	**prefiro**	sigo	durmo	peço
tu	preferes	segues	dormes	pedes
...	...	...	...	...

to ask / order

- **Compreende** bem português? Não, **compreendo** mal.

- **Vivem** em Lisboa? Não, **vivemos** em Évora.

- **Conheces** África? Sim, **conheço** razoavelmente.

- **Posso** fumar? Faz favor.

- **Quer** ir de autocarro ou de metro? **Prefiro** ir de autocarro.

- A que horas **parte** o comboio? **Parte** daqui a dez minutos.

- Que tipo de quarto **preferem**? **Preferimos** um quarto virado para as traseiras.

I prefer a room facing the back. *at the back*

1

for a long time   *also*   *there is / there are*

— Vive em Portugal há muito tempo?
— Não, vivo só há dois anos.
— Mas já compreende bem português.
— Sim, porque antes de vir para Portugal aprendi português numa escola de línguas.

2   *late*   *if*

— Faz favor, sabe se o avião para Paris está muito atrasado?
— Está atrasado cerca de uma hora devido a uma avaria técnica.   — *technical failure.*
— Acha que ainda tenho tempo para comprar umas recordações?
— Penso que sim.

due to   *souvenirs*   *por cause de*

3

— Desculpe, pode dizer-me a que horas abre o banco?
— Não tenho a certeza, mas penso que abre às 8 h 30 m.
— Está aberto à hora do almoço, não está?
— Sim, sim, está.

aberto – open

4   *belongs to*

— D. Marina, sabe a quem pertence este guarda-chuva?
— Parece-me que é da D. Helena.
— Ela ainda volta cá hoje?
— Penso que não, mas amanhã ela deve aparecer de tarde.

she should   *turn up*

5

— Come alguma coisa?
— Sim, uma tosta mista.
— E o que bebe? Um sumo ou uma cerveja?
— Prefiro um sumo de laranja.

começar

Conheço	• bem ≠ mal	
	• bastante bem ≠ bastante mal *quite*	
	• razoavelmente	

| O avião parte | • daqui a   *within* | cinco minutos |
| | • dentro de | um quarto de hora |

A reunião vai começar daqui a cinco minutos

Venho **Vou**	• raras vezes (raramente)	
	• algumas vezes	
	• de vez em quando	
	• poucas vezes	a Portugal
	• muitas vezes	
	• frequentemente	
	• sempre	

83

Atenção: • **Nunca** venho a Portugal.

Já conheces o Norte | • Sim, já conheço.
de Portugal? | • Não, ainda não conheço.

TAP-AIR PORTUGAL

Informações
  Partidas e chegadas de aviões
  Voos Internacionais
  Voos Domésticos

EXERCÍCIOS

(A) Complete com o verbo indicado entre parêntesis.

1 Raramente **escrevo** (escrever) cartas longas.

2 O que bebe? **bebo** (beber) um chá bem quente.

3 Quando **parte** (partir) para Angola?

4 Quanto lhe **devo** (dever)?

5 Quando viajo, **meto** (meter) sempre o passaporte dentro da carteira.

6 O senhor **sabe** (saber) a que horas **abre** (abrir) o banco?

(B.) Encontre as perguntas para as respostas abaixo mencionadas.

1 **Já conheces o Norte de Portugal?**
—Não, ainda não conheço o Norte de Portugal.

2 **Preferes vinho verde ou vinho tinto?**
—Prefiro vinho verde.

3 **Posso usar o telefone?**
—Podes, sim.

4 **O que bebem?**
—Bebemos um vinho do Porto.

84

5 _Quantas horas dormes por noite ?_ ?
—Durmo oito horas por noite.

6 _Quantas vezes recebes um postal ilustrado?_ ?
—Recebo todas as semanas um postal ilustrado.

C) Responda segundo o modelo:

—*Escreve à família muitas vezes?*
—*Sim, escrevo frequentemente.*

lagosta = lobster

1 —Comes lagosta muitas vezes?

—Não, só _raramente_ raramente

2 —Vem a Portugal frequentemente?

—Sim, venho _frequentemente / muitas vezes._

3 —Telefonas ao Pedro muitas vezes?

—Não, telefono-lhe _de vez em quando_

4 —Já foste alguma vez ao Algarve?

—Não, _nunca_ fui.

PORTUGUÊS	FRANCÊS	INGLÊS	ALEMÃO
Conversa com...	Bavarde avec...	Talks with...	Spricht mit...
Está com pressa?	Vous êtes pressé?	Are you in a hurry?	Haben Sie es eilig?
O avião só parte daqui a duas horas.	L'avion part seulement dans deux heures.	The plane takes off in two hours' time.	Das Flugzeug startet erst in zwei Stunden.
Então já conhece Lisboa?	Alors vous connaissez déjà Lisbonne?	So you already know Lisbon?	Dann kennen Sie Lissabon bereits?
Estamos a chegar.	Nous arrivons.	We are almost there.	Wir sind fast da.
Fique com o troco.	Gardez la monnaie.	Take the change.	Der Rest ist für Sie.
Vive em Portugal há muito tempo?	Vous vivez au Portugal depuis longtemps?	How long have you been living in Portugal?	Leben Sie schon lange in Portugal?
cerca de uma hora	environ une heure	about an hour	etwa eine Stunde
devido a uma avaria técnica	à cause d'une panne	due to a technical breakdown	infolge einer technischen Störung
A quem pertence...?	À qui est-ce...?	Who does... belong to?	Wem gehört...?
Ela deve aparecer de tarde.	Elle doit revenir cet après-midi.	She might show up this afternoon.	Sie dürfte am Nachmittag kommen.
chá bem quente	un thé bien chaud	tea, quite hot	Tee, schön heiß
por noite	par nuit	per night	pro Nacht

TELEFONASTE AO CHEFE?

PRETÉRITO PERFEITO EM **-AR, -ER, -IR**

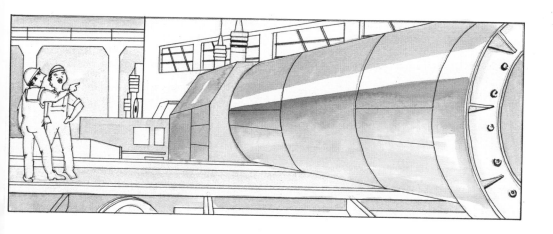

O Agostinho Silva e o Mussa Cabral trabalham numa central de energia eléctrica.
Estão ligados ao departamento de manutenção e falam dum problema de trabalho.

↳ connected

Agostinho—Este motor está a funcionar mal <u>outra vez</u>. *← again*
    Mussa—Já ontem <u>notei</u>.
Agostinho—<u>Telefonaste</u> ao chefe a comunicar a avaria?
    Mussa—<u>Telefonei</u> e ele <u>disse</u>-me para substituir o motor.
Agostinho—Ainda bem que <u>decidiu</u> isso. Assim, o problema <u>fica</u> resolvido. Já
        <u>verificaste</u> se há motores de reserva?
    Mussa—Sim, há dois no armazém.
Agostinho—Requisita um e vamos fazer a substituição. E quanto ao alternador?
        O que é que <u>aconteceu</u>?
    Mussa—<u>Houve</u> uma avaria eléctrica. *acontecer - to happen*
Agostinho—Já <u>foi</u> reparada?
    Mussa—Não. Os electricistas <u>estiveram</u> cá, mas ainda não <u>resolveram</u> o
        problema.

 *GRAMÁTICA*

PRETÉRITO PERFEITO
Verbos regulares

	-AR (TELEFONAR)	-ER (RESOLVER)	-IR (DECIDIR)
eu	telefonei	resolvi	decidi
tu	telefonaste	resolveste	decidiste
você ele/ela	telefonou	resolveu	decidiu
nós	telefonámos	resolvemos	decidimos
vocês eles/elas	telefonaram	resolveram	decidiram

Atenção: *ficar*—**eu fiquei,** tu ficaste...
 trocar—**eu troquei,** tu trocaste...
 pagar—**eu paguei,** tu pagaste...

Alguns verbos irregulares

	ESTAR	TER	SER/IR	DIZER	VIR	VER
eu	estive	tive	fui	disse	vim	vi
tu	estiveste	tiveste	foste	disseste	vieste	viste
você ele/ela	esteve	teve	foi	disse	veio	viu
nós	estivemos	tivemos	fomos	dissemos	viemos	vimos
vocês eles/elas	estiveram	tiveram	foram	disseram	vieram	viram

Atenção: O verbo **ser** e **ir** *conjugam-se da mesma maneira no pretérito perfeito.*

 MINI-DIÁLOGOS

1
—Onde almoçaste ontem?
—Almocei num restaurante típico.
—Gostaste da comida?
—Gostei muito. Comi cozido à portuguesa.

̶ stew

2
—No fim-de-semana passado foste ver a tourada?
—Sim, fui. Foi um óptimo espectáculo.
—Eu também já vi uma tourada quando estive em Cascais. Gostei imenso.

3

—Como foi o teu dia, ontem?

[handwritten: I had to go to the doctor]

—Terrível. Estive doente e tive que ir ao médico.

—E o que é que ele te disse?

—Disse-me que apanhei uma intoxicação alimentar.

4

—Chegaste de África há pouco tempo, não chegaste?

—Cheguei na quinta-feira feira passada.

—Que países visitaste?

—Visitei os países de expressão portuguesa.

5

[handwritten: fazer greve – to go on strike]

—Fizeste greve na semana passada?

—Fiz, concordo com as exigências do sindicato. E tu? *[handwritten: I agree with the demands of the union]*

—Eu resolvi não fazer, porque não concordo com os motivos desta greve. *[handwritten: motives of the strike]*

Ontem			• ao	director
				chefe de secção *[handwritten: head of department]*
Há dois dias (Anteontem)				
	telefonei		• à	secretária
Há quinze dias (Há duas semanas)				Pauline
				a empresa
No mês passado			• para	o escritório
No ano passado				a fábrica
				a casa do Manuel

89

EXERCÍCIOS

1   Este postal foi escrito pelo Pieter a um amigo brasileiro que vive na Suécia há um
    ano. Complete-o usando o pretérito perfeito.

Rio de Janeiro, 20/7/90

Caros amigos.

Cheguei ao Brasil há dois dias. Já visitei o

Corcovado e achei a paisagem mara-

vilhosa. A Sara comprou várias re-

cordações. Comemos coisas deliciosas

e bebemos caipirinha. (sugar cane rum cocktail.)

Um abraço (hug.)

Pieter

wonderful

Para

Ricardo Sousa

Furudals Bruks

7070 Furudal

Suécia

2   Este é o postal que o Ricardo escreveu para responder ao Pieter.
    Complete-o com os verbos que estão entre parêntesis.

Olá Pieter.

Recebi (receber) o teu postalzinho e fiquei (ficar)

contente por saber que gostaste (gostar) do Brasil.

Já foste (ir) à casa da Catarina e do Roberto?

A minha mãe disse -me (dizer) que a Catarina

teve (ter) um bebé há poucos meses.

Dá-lhes um abraço meu.

Até breve.   Ricardo

Para

Pieter Friberg

Av. Paulista, 20

Rio de Janeiro

Brasil

Descreva as situações das figuras no passado, aplicando os verbos indicados.

tomar, ir, dizer adeus, telefonar, gritar, encontrar, ver — to see

to scream/shout   to find/meet

PORTUGUÊS	FRANCÊS	INGLÊS	ALEMÃO
está a funcionar mal outra vez	fonctionne mal de nouveau	isn't working well again	funktioniert wieder schlecht
Ainda bem que decidiu isso.	Encore heureux qu'il a décidé cela.	Good that he decided that.	Gut, daß er das entschieden hat.
Assim, o problema...	Ainsi, le problème...	So, the problem...	So, das Problem...
E quanto ao...?	Et quant au / à / aux	And what about the...?	Und was ist mit dem/ der...?
O que é que aconteceu?	Qu'est-ce qui est arrivé?	What happened?	Was ist geschehen?
Foi um óptimo espectáculo.	Cela a été un excellent spectacle.	It was an excellent performance.	Das war eine ausgezeichnete Vorstellung/Aufführung.
Gostei imenso.	J'ai beaucoup aimé.	I liked it a lot.	Es hat mir sehr gut gefallen.
caipirinha	boisson brésilienne	brazilian drink	brasilianisches Getränk

QUERÍAMOS UM QUARTO DUPLO BEM SITUADO.

ADVÉRBIOS DE MODO | **BEM**
DEPRESSA
PROVAVELMENTE

O casal Taylor dirige-se à recepção de um hotel para marcar um quarto de casal com uma cama extra para o seu filho. Antes de tomarem uma decisão, pedem para ver o quarto.

Bam Taylor — Boa tarde, tem quartos vagos?
Recepcionista — Duplo ou individual?
Bam Taylor — Queríamos um quarto duplo bem situado, com uma cama extra para criança.
Recepcionista — Para quantos dias?
Bam Taylor — Não temos ainda a certeza, mas provavelmente para hoje, amanhã e depois.
Recepcionista — Só temos um quarto no quinto andar virado para as traseiras, mas muito silencioso.
Bam Taylor — Realmente preferíamos um quarto com vista para o mar, mas podemos vê-lo?
Recepcionista — Naturalmente. Eu acompanho os senhores.
Bam Taylor — Servem refeições?
Recepcionista — Não. O hotel só tem serviço de bar, onde servimos refeições ligeiras, mas há bons restaurantes na zona.
Bam Taylor — A partir de que horas é que servem o pequeno-almoço?
Recepcionista — Das 7 h às 10 h.

ADVÉRBIOS DE MODO

exacto — exactamente
lento — lentamente
rápido — rapidamente
cuidadoso — cuidadosamente
corajoso — corajosamente — *courageously*
real — realmente
natural — naturalmente
fácil — facilmente
difícil — dificilmente
provável — provavelmente
possível — possivelmente
favorável — favoravelmente
feliz — felizmente
infeliz — infelizmente
frequente — frequentemente
geral — geralmente

- bem ≠ mal
- melhor ≠ pior
- depressa ≠ devagar
- assim

depressa - rapidly
devagar - slowly

na realidade = realmente	com facilidade = facilmente
em geral = geralmente	com dificuldade = dificilmente
com cuidado = cuidadosamente	com frequência = frequentemente
com rapidez = rapidamente	

- O Dr. Santos vai a Luanda **frequentemente.**
- **Exactamente!** Era isso mesmo que eu queria dizer.
- Comemos **melhor** aqui do que no restaurante Beira-Mar.
- Não vás **depressa**.
- **Provavelmente** não vou ao escritório amanhã.
- Transporte essas peças **cuidadosamente**, por favor.
- Agora sinto-me **bem**; **felizmente** melhorei muito.
- O presidente da empresa reagiu **favoravelmente** à nossa proposta.
- Com o tempo **assim** não podemos fazer a viagem.

∟ such

50

MINI-DIÁLOGOS

Na recepção
1
—Queria um quarto individual.
—Para quantas noites, por favor?
—Só para hoje. Qual é o preço?
—10 000$00 com pequeno-almoço incluído.
—Está bem. Aceitam cartão de crédito?
—Com certeza.

Na recepção
2
—O meu nome é Peter Smith. Tenho uma reserva feita para esta noite.
—Tem a confirmação?
—Está aqui.
—Preencha esta ficha, por favor. Posso ver o seu passaporte?
—Faça o favor.   *L imperative.*

Na recepção
3
—Queríamos dois quartos de casal.   *guest-house*
—Lamento, mas o hotel está completo.   *aka pensão residencial.*
—Pode indicar-me outro hotel nesta zona?
—Ao cimo desta avenida há um hotel e uma residencial.
—Como se chamam?
—Hotel Camélia e Residencial D. Afonso.

Na sala do restaurante   *L Dom*   *presunto – parma ham*
4
—O que vão escolher para o pequeno-almoço?
—Traga-nos ovos com presunto, pãezinhos, manteiga, queijo, compota, sumo de laranja e café.
—Desejam leite e flocos para a menina?
—Ah! pois, traga, se faz favor.   *flocos – porridge oats.*

Na recepção
5
- Please tell me
—Boa tarde. Faça o favor de dizer.
—Há um problema no quarto 418. O ar condicionado está avariado e eu não consigo suportar este calor.
—Pedimos imensa desculpa. Não é possível resolver já o problema, mas temos outro quarto disponível no andar inferior. Importa-se de mudar?   *– do you mind moving?*
—Está bem. Peça ao empregado para mudar a minha bagagem.

Ao telefone   *L from pedir – to ask (for)*
6
Peça (você) pede (tu)   *pedir desculpa*
—Recepção, faz favor.   *– to ask for .*
—É do quarto 212 e queria fazer uma reclamação.   *– to apologise*
—Há algum problema?
—Sim. Não há água quente e a torneira do lavatório está avariada.
—Pedimos desculpa pelo inconveniente. Vou mandar já aí o picheleiro.

No quarto   *ironed*   *Canalizador – plumber.*
7
ready / done
—Preciso desta roupa passada, por favor.
—Para que horas?
—Queria este vestido e este fato prontos para as 7 h, se fosse possível. As outras peças não são urgentes.
—Vai ficar tudo passado a ferro ainda hoje.
—Muito obrigado.

passada a ferro – ironed

95

Pousadas de Portugal

As «POUSADAS DE PORTUGAL» constituem uma rede de estabelecimentos hoteleiros, construídos pelo Estado, instalados em edifícios históricos: CASTELOS, PALÁCIOS e CONVENTOS, ou edifícios especialmente construídos para esse fim. A sua implantação geográfica em locais privilegiados oferece a possibilidade de conhecer o País, visitando sítios calmos e isolados à beira-mar, na montanha ou através da planície.

A arquitectura e decoração foram cuidadosamente estudadas, de forma a permitir um melhor conhecimento das tradições culturais das diversas regiões do País. Particular relevo foi dado à Arquitectura Popular, ao Artesanato, à Gastronomia e aos Vinhos.

A comodidade, o acolhimento e a hospitalidade são uma constante internacionalmente reconhecida das «POUSADAS DE PORTUGAL».

Temos para lhe oferecer um esquema de itinerários diferentes, que se tornam económicos e atractivos, pela diversidade de zonas abrangidas e que, por certo, enriquecerão o conhecimento do visitante sobre as várias províncias e os seus costumes.

Além disto tudo, ainda a possibilidade de uma estadia agradável, repousante e confortável.

Local Mapa	Nome da Pousada	Categoria	Local
1	Pousada de São António	C	Valença do Minho
2	Pousada de São Bento	C	Caniçada
3	Pousada de Oliveira	C	Guimarães
4	Pousada de São Gonçalo	B	Amarante
5	Pousadade São Bartolomeu	B	Bragança
6	Pousada de Santa Catarina	B	Miranda do Douro
7	Pousada Ria	C	Aveiro
8	Pousada de Santo António	B	Serém
9	Pousada de São Jerónimo	B	Caramulo
10	Pousada de Santa Bárbara	C	Oliveira do Hospital
11	Pousada de São Lourenço	B	Manteigas
12	Pousada de São Pedro	B	Castelo do Bode
13	Pousada do Castelo	CH	Óbidos
14	Pousada de Santa Maria	C	Marvão
15	Pousada de Santa Luzia	C	Elvas
16	Pousada da Rainha Santa Isabel	CH	Estremoz
17	Pousada dos Loios	CH	Évora
18	Pousada da Almeida	CH	Palmela
19	Pousada de São Filipe	CH	Setúbal
20	Pousada Vale do Gaio	B	Alcácer do Sal
21	Pousada de São Tiago	B	Santiago do Cacém
22	Pousada de São Gens	B	Serpa
23	Pousada de Santa Clara	B	Santa Clara-a-Velha
24	Pousada de São Brás	C	São Brás de Alportel
25	Pousada do Infante	CH	Sagres
26	Pousada de D. Dinis	CH	Vila Nova de Cerveira
27	Pousada de São Forrester	B	Alijó
28	Pousada de Santa Marinha da Costa	CH	Guimarães
29	Pousada Senhora das Neves	C	Almeida
30	Pousada M. Afonso Domingues	C	Batalha

DISTÂNCIA EM KM (POR ESTRADA)

	Lisboa	Porto	Faro
Aveiro	249	67	515
Beja	179	466	154
Braga	374	53	638
Bragança	515	254	731
Coimbra	203	117	417
Évora	154	410	230
Faro	298	586	-
Guarda	355	219	526
Leiria	136	186	402

Lisboa		320	298
Porto	320	-	586
Portalegre	227	320	346
Setúbal	40	350	258
Valença do Minho	445	123	709
Viana do Catelo	392	70	656
Vila Real	437	115	701
Viseu	293	133	557

DE ACORDO COM MAPA DAS ESTRADAS

O Turismo de Habitação é uma nova forma de alojamento turístico que consiste no aproveitamento de quartos em casas particulares .

Esta modalidade de alojamento permite passar férias tranquilas em regiões onde, até agora, na maior parte dos casos, de outro modo não seria possível.

Nas casas antigas pode ainda compartilhar de um agradável ambiente de tradições e quietude, aliado ao bom gosto dos espaços interiores que encerram valiosos testemunhos de gerações passadas, conjugados com as necessidades de conforto do viver moderno.

Para além das casas antigas e de outras cujo nível de conforto se lhes equipara, há ainda uma série de outras casas, dispersas pelas várias regiões do país, que o poderão acolher em condições muito agradáveis.

De qualquer modo, esta forma de alojamento permitir-lhe-á, certamente, conhecer de uma maneira mais directa o seu país e as suas gentes, podendo participar no seu dia-a-dia e conjugar noutras perspectivas o mundo que nos rodeia.

Num	• hotel • motel • parque de campismo	Numa	• pousada • estalagem • residencial • pensão

Queria Queríamos	um quarto	• nas traseiras • na frente • com vista para o mar • sossegado (silencioso) • confortável • espaçoso • com casa de banho privativa • com chuveiro • com ar condicionado • com aquecimento central • com televisão • com duas camas • com uma cama de casal • com uma cama de criança

Pequenas avarias

• a ventoinha funciona mal • o aquecimento não funciona • a janela está empenada • a persiana não fecha bem • o lavatório está entupido • a lâmpada está fundida • não há água quente • o elevador não funciona	Pode mandar	• reparar? (arranjar?) • substituir?

- Podia dar-me a conta, por favor?
- Penso que se enganou na conta.
- Pode mandar descer a nossa bagagem?
- Gostámos de estar aqui.
- Esperamos voltar cá.
- Tenho de partir imediatamente. Chame-me um táxi, por favor.

 EXERCÍCIOS

A. Substitua nas frases seguintes a expressão sublinhada pelo advérbio terminado em mente que lhe corresponde.

Ex.: *Ele leu o relatório com cuidado.*
Ele leu o relatório cuidadosamente.

1 Vamos partir de imediato.

2 A inspecção sanitária visita as fábricas com frequência.

_____

3 Em geral nunca tomo essa atitude.

_____

4 Os estudantes aprenderam a língua portuguesa com facilidade.

_____

5 Ela trabalha com lentidão.

_____

6 A secretária do Dr. Coutinho escreve à máquina com rapidez.

_____

B. Complete as colunas com a palavra da mesma família.

Nome	Verbo		Adjectivo	Advérbio
reserva	_____		calmo	_____
pagamento	_____		_____	naturalmente
_____	telefonar		silencioso	_____
reclamação	_____		_____	comodamente
_____	avariar		elegante	_____
recepção	_____		_____	cuidadosamente
_____	convidar		breve	_____
resposta	_____		_____	simultaneamente
_____	apresentar		sincero	_____
serviço	_____		_____	imediatamente
_____	acompanhar		honesto	_____
proposta	_____		_____	rapidamente
_____	alterar		frequente	_____
escolha	_____		feliz	_____
resolução	_____			

PORTUGUÊS	FRANCÊS	INGLÊS	ALEMÃO
Antes de tomarem uma decisão...	Avant de prendre une décision...	Before they make a decision...	Bevor Sie sich entscheiden...
Podemos vê-lo?	Nous pouvons le voir?	Could we have a look at it?	Könnten wir es uns ansehen?
Naturalmente.	Certainement.	Of course.	Natürlich.
A partir de que horas...	À partir de quelle heure...	From what time on...	Ab wieviel Uhr...
Era isso mesmo...	C'est ce que...	This was exactly...	Es war genau das...
Eu não consigo suportar.	Je ne supporte pas.	I can't stand it.	Das halte ich nicht aus.
Pedimos imensa desculpa.	Veuillez nous excuser.	We are terribly sorry.	Es tut uns schrecklich leid.
fazer uma reclamação	faire une réclamation	to make a complaint	eine Beschwerde/ /Reklamation äußern
Se fosse possível...	Si c'est possible...	If it is possible...	Wenn möglich...
de forma a permitir...	de manière à permettre...	in order to allow...	um zu ermöglichen...
Além disto tudo...	En outre...	Furthermore...	Darüberhinaus...
cujo nível de conforto	dont le confort	of which the standard of confort	Deren Niveau
De qualquer modo...	De toute façon...	Anyway...	Auf jeden Fall/wie dem auch sei...
permitir-lhe-á	vous permettra de	will allow you	Wird Ihnen ermöglichen
dia-a-dia	vie de tous les jours	week-day	Alltag

COMO VÊ, CONHEÇO ALGUNS ASPECTOS DA CULTURA PORTUGUESA.

OS INDEFINIDOS
EMPREGO DE **TÃO** E **TANTO**

Janet, que vive em Portugal há quatro anos, conversa com a Adelaide sobre aspectos da cultura portuguesa.

Adelaide — Há quanto tempo está em Portugal?

Janet — Há quatro anos.

Adelaide — Então, já conhece razoavelmente Portugal e a cultura portuguesa.

Janet — Naturalmente, porque me interesso bastante pela vida cultural portuguesa: tenho em casa belas peças de artesanato regional, leio escritores portugueses, visito monumentos e museus, vejo muitas exposições de pintura, assisto a alguns concertos e espectáculos de música, tenho muitos discos de Carlos Paredes, da Amália Rodrigues, do Zeca Afonso e de outros artistas mais jovens.

Adelaide — Já viu alguma exposição da Vieira da Silva?

Janet — Já, não só em Paris mas também aqui, em Lisboa. Ela é tão conhecida internacionalmente! E também gosto muito da pintura de Cargaleiro.

Adelaide — E quanto ao desporto? Já deve ter ouvido falar da Rosa Mota, não?

Janet — Claro! Dela, da Aurora Cunha e de outros. Qualquer deles é um ídolo dos portugueses. Como vê conheço alguns aspectos da cultura portuguesa. Mas ainda há tanta coisa para eu descobrir!

INDEFINIDOS

VARIÁVEIS	INVARIÁVEIS
• muito/a/os/as • pouco/a/os/as • todo/a/os/as • algum/a/alguns/algumas • nenhum/a/nenhuns/ nenhumas • outro/a/os/as • tanto/a/os/as • qualquer/quaisquer	• tudo • nada • alguém • ninguém • cada

- **Muitas** pessoas vão para a praia no Verão; **outras** preferem o campo, mas muito **poucas** fazem alpinismo.

- **Todos** os dias vou à padaria comprar pão fresco.

- **Alguns** restaurantes estão fechados ao domingo.

- **Nenhum** dos empregados ficou contente com a decisão do patrão.

- **Alguém** está interessado em comprar essa fábrica?

- **Ninguém** falou de política.

- Quando cheguei a casa encontrei **tudo** desarrumado. **Nada** estava no lugar.

- **Cada** um dos senhores deve preencher um impresso.

- Há **tanta** variedade de azulejos em Portugal!

- **Qualquer** pessoa pode fazer esse trabalho.

tão + adjectivo	tanto/a + substantivo

- Os tapetes de Arraiolos são **tão** lindos!

- Que homem **tão** alto!

- No interior de Portugal há **tantas** regiões bonitas para visitar.

- No Verão há **tanta** gente nas praias que prefiro a calma do campo.

- Havia **tantas** pessoas na bicha para comprar bilhete para o concerto, que resolvi ir ao cinema.

1

—Onde compraste essas peças de cristal?
—Em Alcobaça. Porquê?
—São tão bonitas e de tão boa qualidade! Gostava de comprar algumas peças desse género para a minha nova casa.

2

—Marta, alguém telefonou para mim?
—Não, ninguém telefonou.
—Eu vou sair outra vez. Se alguém telefonar, diga que eu só chego a casa às 9 h da noite. Vou assistir a um concerto de piano da Maria João Pires.

3

—D. Júlia, o Sr. Rocha já lhe falou da exposição de artesanato regional que vai ter lugar no Estoril e onde os nossos artigos vão estar representados?
—Não, ele ainda não me falou de nada, mas também não o tenho encontrado nestes últimos dias.

4

—Vais levar algumas recordações de Portugal?
—Claro! Vou levar um tapete de Arraiolos e algumas peças artesanais de cobre.
—Consegues levar todas essas coisas de avião?
—Eu não vou de avião, vou de carro.

5

—Tens algum disco de música ligeira portuguesa?
—Não, não tenho, mas tenho intenção de comprar. Em compensação, tenho muitos discos de fadistas e guitarristas portugueses.

6

—Já reparou que em Portugal o azulejo decorativo é uma verdadeira expressão de arte?
—Sem dúvida! Há painéis de azulejos lindíssimos por todo o lado: nas igrejas, nas estações de caminho-de-ferro, nos edifícios públicos e privados e até nos cafés. Ele faz parte do património cultural português.

O QUE É PORTUGAL

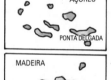

Imagine uma figura rectangular com o comprimento de 561 km norte-sul por 218 km de largura leste-oeste (dimensões máximas), situado no extremo mais ocidental da EUROPA.

Imagine ainda que essa figura rectangular se encontra delimitada a norte e a oriente pela ESPANHA (cerca de 1215 km) e é banhada pelo Oceano Atlântico a ocidente e a sul, numa extensão de 832 km de costa que lhe proporcionam praias formosas, de areia fina e macia e águas límpidas e calmas.

Mais ou menos a meio do rectângulo trace uma linha no sentido leste-oeste e aí tem o RIO TEJO, o maior de Portugal. Para norte fica uma área intensamente povoada e montanhosa de clima atlântico influenciado favoravelmente pela corrente do Golfo, onde sobressai a Serra da Estrela com 2000 m de altitude e as suas neves de Novembro a Fevereiro que convidam à prática dos desportos de Inverno; para sul fica a planície alentejana, fracamente povoada e de clima menos privilegiado, com Verões muito quentes e secos, até à região do Algarve de clima suave todo o ano, com o Sol sempre presente.

Divida o rectângulo (com aproximadamente 89 060 km) em 7 zonas de Promoção Turística — cada uma com as suas características bem defini-das, e que são, de norte para sul: COSTA VERDE (folclore e paisagens verdejantes); COSTA DE PRATA (rica de atracções turísticas); MONTANHAS (altas montanhas com destaque para a SERRA DA ESTRELA e para as vinhas em socalco que dão origem ao VINHO DO PORTO, no Douro); COSTA DE LISBOA (com destaque para CASCAIS, ESTORIL com o seu Casino, e os palácios de Queluz e Sintra); LISBOA (capital); PLANÍCIES (dos touros, dos "campinos" e das searas); ALGARVE (das amendoeiras em flor no Inverno e das maravilhosas praias no Verão).

Acrescente ao rectângulo atrás descrito as belas ilhas vulcânicas que formam o ARQUIPÉLA-GO DOS AÇORES (S. Miguel, Stª Maria — Terceira, Graciosa, S. Jorge — Pico, Faial, Flores e Corvo), situado no meio do Oceano Atlântico e as ilhas paradisíacas, também Atlânticas, que constituem o ARQUIPÉLAGO DA MADEIRA (Madeira e Porto Santo).

Recorde agora que este pequeno país, onde a cada passo encontrará valiosos monumentos, testemunhos de um passado glorioso de mais de oito séculos, foi berço de HENRIQUE, "o Navegador"; de VASCO DA GAMA, que descobriu o Caminho Marítimo para a Índia; de PEDRO ÁLVARES CABRAL, que descobriu o BRASIL; de CAMÕES, o insigne poeta autor de "OS LUSÍADAS", onde se descrevem em versos magistrais as glórias da raça lusitana.

Percorra este País em todas as direcções e encontrará uma cozinha **extraordinariamente variada, saborosa, abundante e típica** e uns **vinhos de mesa e generosos do melhor que há no Mundo**, como é o caso do VINHO VERDE, do VINHO MADURO ou dos famosíssimos VINHO DO PORTO e VINHO DA MADEIRA.

Encontrará ainda romarias, folclore, festas, colorido, belas paisagens, mas particularmente o calor da simpatia e amabilidade deste povo hospitaleiro.

In *Portugal — Roteiro de Férias 90*
(adaptado)

A. Complete com os **indefinidos**.

1 _____ os presentes concordaram com a proposta apresentada.

2 _____ dos clientes ficou satisfeito.

3 O assunto era complicado e _____ compreendeu o que ele disse.

4 _____ jovens tocavam guitarra, _____ cantavam.

5 D. Marta, _____ telefonou?

6 Estavam _____ pessoas no concerto, porque chovia torrencialmente.

7 Costumo ir a Lisboa _____ as semanas.

8 Há poluição em _____ rios da Europa.

9 O Sr. Abrantes vai a Moçambique _____ os meses.

10 Depois de apresentada a proposta, _____ pessoa deu a sua opinião sobre o assunto.

B. Empregue **tão** ou **tanto/a/os/as**.

1 Em Portugal há azulejos _____ bonitos!

2 Temos _____ assuntos para resolver que temos de adiar a viagem de regresso.

3 Ele estava _____ cansado que adormeceu logo que se sentou no sofá.

4 Havia _____ trânsito que demorei uma hora a chegar ao centro da cidade.

5 Estavam _____ pessoas na manifestação que mal podíamos caminhar.

6 Havia uma bicha _____ grande de carros, que voltei para trás.

PORTUGUÊS	FRANCÊS	INGLÊS	ALEMÃO
não só... mas também	non seulement... mais aussi	not only... but also	nicht nur... sondern auch
Nenhum dos empregados ficou contente com...	Aucun employé n'a apprécié...	None of the employees were satisfied with...	Keiner der Angestellten war zufrieden mit...
Há tanta variedade de...	Il y a une telle variété...	There is plenty of...	Es gibt so viele unterschiedliche...
A exposição que vai ter lugar no Estoril...	L'exposition qui aura lieu à Estoril...	The exhibition which will take place in Estoril...	Die Ausstellung, die in Estoril stattfinden wird...
Tenho intenção de...	J'ai l'intention de...	I intend to...	Ich habe vor...
por todo o lado	partout	everywhere	überallhin
Mal podíamos caminhar.	Nous avions du mal à avancer.	We could hardly walk.	Wir konnten kaum laufen.

UNIDADE

ACHAS QUE É ALGUMA AVARIA...?

PARTICÍPIO PASSADO DOS VERBOS REGULARES E IRREGULARES

ALGUNS ADVÉRBIOS DE LUGAR | AQUI, ALI, AÍ
CÁ, LÁ

GRAUS DOS ADJECTIVOS

Um casal viaja de carro e, de repente, surge uma avaria. Decidem chamar um mecânico que os informa não ser possível arranjar o carro nesse mesmo dia. Como estão muito cansados, vão para o hotel de táxi.

Numa estrada...

Jeff — Temos um problema no carro.

Janet — O que se passa?

Jeff — O carro não está a funcionar bem. Temos que parar e chamar um mecânico.

Janet — Achas que é alguma avaria tão grave como a de ontem?

Jeff — Não sei bem. Podem ser as velas ou a bomba de gasolina. Vou parar e telefonar para uma garagem.

...

109

...

Meia hora mais tarde...

Mêcanico — Qual é o problema?

Jeff — Não sei, o carro começou a falhar e eu achei melhor parar. Parece-me ser a bomba de gasolina.

Mecânico — Deixe-me ver. Vou testar o motor. Ah! Tem razão. É a bomba de gasolina.

Jeff — Acha que tem de ser substituída?

Mecânico — Sim, não está em condições de seguir viagem com a bomba neste estado.

Jeff — Pode substituí-la ainda hoje?

Mecânico — Hoje não é possível, porque o serviço de vendas de peças já está fechado.

Jeff — Então o que me aconselha a fazer?

Mecânico — A esta hora acho que o carro deve ser rebocado até à garagem.

Jeff — Nesse caso tenho de arranjar outro meio de transporte para nos levar ao hotel.

Mecânico — Pode apanhar o comboio na estação que fica já ali, ou a camioneta que passa por aqui cerca das 20 h 30 m.

Jeff — Estamos cansadíssimos, prefiro ir de táxi.

Mecânico — Então levo-os até à praça de táxis. São apenas três minutos até lá.

 GRAMÁTICA

PARTICÍPIO PASSADO (regular)

-AR	-ER	-IR
fechado	vendido	decidido

Atenção: (irregulares)

dizer — **dito**	*abrir* — **aberto**
fazer — **feito**	*ir* — **ido**
ver — **visto**	*vir* — **vindo**
prender — **preso**	*pôr* — **posto**

- Como tem **passado**, D. Helena?
- Temos **vendido** muitas peças de artesanato aos turistas.
- A reunião foi **presidida** pelo director-adjunto.
- Os bancos estão **abertos** à hora do almoço.
- Tenho **visto** paisagens muito lindas!
- O ladrão foi **preso** ontem.
- Aos fins-de-semana tenho **ido** à praia.
- Eu já lhe tinha **dito** isso!
- Os meus pais têm **vindo** cá a casa frequentemente.
- Tens **feito** bom negócio?
- Quem mexeu no dossier que eu tinha **posto** em cima do armário?

ADVÉRBIOS

aqui
ali
aí
cá
lá

Aqui está o candeeiro.
O meu filho brinca **ali**.
Pedro! O que estás **aí** a fazer?
Cá em casa vemos muita televisão.
Lá fora está frio.

GRAUS DOS ADJECTIVOS

Como comparar								
Superioridade			Inferioridade			Igualdade		
Mais	grave novo velho caro barato bonito contente preocupado	(do que)	Menos	grave novo	(do que)	Tão	grave novo	(como)

Atenção:

bom — **melhor**
grande — **maior**
mau — **pior**

- A avaria deste carro foi **mais** grave **(do) que** a do outro.
- Este carro é **menos** económico **(do) que** o outro.
- Este novo modelo é **tão** caro **como** o outro.
- Hoje o tempo está **melhor (do) que** ontem.
- A sua casa é **maior (do) que** a minha.

Superlativo			
o mais novo **o mais** barato **o mais** caro	(de todos)	novíssimo baratíssimo caríssimo	**muito** novo **muito** barato **muito** caro
Atenção **bom** — o melhor **grande** — o maior **mau** — o pior	(de todos)	bom — óptimo fácil — facílimo difícil — dificílimo rico — riquíssimo	

- Este é **o melhor** hotel da cidade.
- O preço deste carro é **caríssimo**.
- Está um tempo **óptimo** para ir para a praia.
- Apesar de **muito novo** ele já é um homem **riquíssimo**.
- Que idade tem o seu filho **mais velho**?

111

Numa agência de aluguer de automóveis

1

—Faça o favor de dizer.
—Queria alugar um carro.
—Sim, com certeza. Que tipo de carro prefere?
—Gostava de um carro pequeno e confortável, talvez um Peugeot 205. Quanto custa o aluguer diário?
—Isso depende do tempo de aluguer. Por quanto tempo deseja alugar o carro?
—Por uma semana.
—Nesse caso, o preço é de 30 mil escudos por semana, mais 40$00 por quilómetro.
—O seguro está incluído?
—Não, o seguro tem que ser pago por fora.

Na estrada

2

Polícia— Os seus documentos, por favor.
Turista— Aqui tem.
Polícia— Só vejo a carta de condução e o seguro. Falta o título de Registo de Propriedade.
Turista— Desculpe, o que é isso? Eu não compreendi bem; sou estrangeiro.
Polícia— É um documento que identifica o dono do carro.
Turista— Ah! Já compreendo. Um momento. Está aqui no bolso do meu casaco.

No carro

3

Marido—Este carro é mais confortável do que o outro, mas muito menos económico.
Mulher—Não duvido, mas este é melhor para grandes viagens. Agora não nos sentimos tão cansados como quando viajávamos no carro que tivemos anteriormente.

Numa rua

4

François—Ah! Fui multado. Tenho de pagar esta multa antes de ir para a Bélgica.
António—Deves ir ao posto de polícia mais próximo. Isso é uma multa por transgressão de estacionamento.
François—Pois é! Aqui é proibido estacionar e nós não vimos o sinal.

Na bomba de gasolina

5

Empregado—Gasolina super ou normal?
Cliente—Super. Encha o depósito, por favor.
Empregado—São 6000$00.

Meios de transporte

Viajar
Andar
Ir
de
- avião
- táxi
- carro
- autocarro
- eléctrico
- comboio
- bicicleta
- barco

Atenção:
andar
ir
a pé

Partes do carro

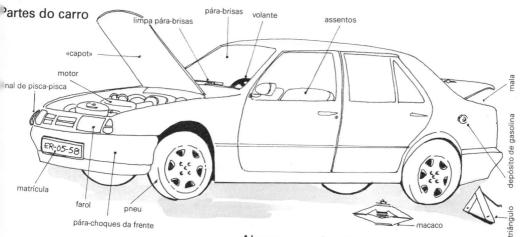

pára-brisas
volante
assentos
limpa pára-brisas
«capot»
motor
sinal de pisca-pisca
matrícula
farol
pneu
pára-choques da frente
macaco
triângulo
depósito de gasolina
mala

Algumas avarias de um carro (automóvel)

- pneu furado
- velas gastas
- distribuidor avariado
- bomba de gasolina avariada

- bateria descarregada
- filtro de ar entupido
- cabo de embraiagem partido
- radiador de refrigeração do motor a verter

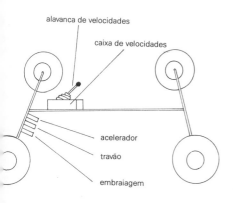

alavanca de velocidades
caixa de velocidades
acelerador
travão
embraiagem

Alguns conselhos práticos

Antes de fazer uma viagem verifique:
- a pressão dos pneus

- o nível do óleo | do motor
dos travões

- o nível de água de refrigeração
- se tem gasolina suficiente

 **EXERCÍCIOS**

A. Utilize o particípio passado dos verbos.

decidir	ir	
ver	beber	abrir
adiar	prender	fazer

1   Até que horas estão as lojas _____ ?

2   Desde que estou em Portugal tenho _____ muito vinho verde.

3   Em que reunião foi _____ a anulação do contrato?

4   Por quem foi _____ esta escultura?

5   Tens _____ as finais de ténis na televisão?

6   Têm _____ à praia aos domingos?

7   A reunião foi _____ devido à ausência do director-geral.

8   Quando é que o contrabandista foi _____ ?

B. Complete as frases dos diálogos com a palavra adequada.

1   — Senhor agente, posso _____ aqui o carro por cinco minutos?
    — Não, não pode, porque é _____ o estacionamento.

2   — A direcção está pesada. Devo ter um _____ num dos pneus.
    — Também pode ser a pressão dos _____ que está baixa.

3   — Já verificaste se tens _____ suficiente para a viagem?
    — Enchi o _____ ontem à noite.

C. O seu carro avariou e tem que se dirigir à garagem mais próxima. Imagine e registe por escrito o diálogo mantido com o mecânico.

_____

_____

_____

_____

_____

_____

D. Complete com os graus dos adjectivos.

1 Esta casa é grande e confortável; é _____ do que as outras. (comparativo de superioridade de *boa*)

2 O restaurante onde estivemos ontem é desagradável e a comida não é boa; é

_____ _____ este. (comparativo de superioridade de *mau*)

3 A viagem foi _____ _____ como a que fizemos no ano passado. (comparativo de igualdade de *agradável*)

4 O Paulo mede 1 metro e 98 cm; é realmente _____ _____ . (superlativo de *alto*).

_____ .

5 Os mandingas são _____ _____ _____ os balantas. (comparativo de superioridade de *baixo*)

6 Este é o hotel _____ _____ do país. (superlativo de superioridade de *famoso*)

7 Hoje o dia está _____ _____ _____ ontem. (comparativo de inferioridade de *quente*)

8 Estou _____ pois a encomenda ainda continua retida na alfândega.

(superlativo de *preocupado*)

_____ _____ .

PORTUGUÊS	FRANCÊS	INGLÊS	ALEMÃO
de repente	soudain	suddenly	plötzlich
nesse caso	dans ce cas	in this case	in diesem Fall
São apenas...	C'est seulement...	It's only...	Es sind nur...
Como tem passado...?	Comment allez-vous...?	How have you been...?	Wie ist es Ihnen gegangen...?
Eu já lhe tinha dito isso!	Je vous l'avais déjà dit!	I have already told you that!	Das habe ich Ihnen schon gesagt!
apesar de	bien que	although	obgleich
Isso depende de...	Cela dépend...	It depends on...	Das hängt von...ab
Por quanto tempo...?	Pour combien de temps...?	How long...?	Wie lange...?
pago por fora	n'est pas inclus	paid extra	zusätzlich bezahlt
desde que	depuis que	since	seit
...pois a encomenda ainda continua retida	...parce que le colis est encore retenu	...because the parcel is still retained	weil das Paket immer noch zurückgehalten wird...

UNIDADE 16

ESTÁ, QUEM FALA?

EXPRESSÕES DE CAUSA — **PORQUE, POIS, COMO**
EXPRESSÕES DE FIM — **PARA, A FIM DE**
EXPRESSÕES CONCLUSIVAS — **PORTANTO, POR ISSO**
FUTURO SIMPLES
INFINITIVO PESSOAL

Eng. Dupont telefona para a têxtil JCD Lda a fim de comunicar que não pode vir a
Portugal por causa de uns problemas que surgiram na Francine's.

Telefonista — Têxtil JCD Lda, faz favor.
Eng. Dupont — Fala François Dupont, chefe do serviço de qualidade da
Francine's. Queria falar com o Eng. Meireles, por favor.
Telefonista — Só um momento, eu vou ligar.
Eng. Meireles — Eng. Dupont?
Eng. Dupont — Sim, Eng. Meireles. Como está?
Eng. Meireles — Bem, obrigado. Temos tudo preparado para a sua chegada.

Eng. Dupont—É precisamente por causa da minha ida aí, à têxtil JCD, que estou a telefonar. Surgiram uns problemas aqui na empresa e tive que cancelar a viagem a Portugal, pois não posso estar longe da fábrica durante os próximos dias.

Eng. Meireles—É pena, porque assim não é possível decidir se a qualidade do algodão é aceitável e por isso não podemos dar andamento à encomenda. Isso vai naturalmente atrasar a entrega e, por outro lado, causará despesas de produção imprevistas.

Eng. Dupont—Lamento imenso o inconveniente. Espero dentro em breve poder visitar-vos e farei tudo o que puder para resolver esses problemas.

Voltarei a telefonar novamente para comunicar o dia da minha chegada.

Eng. Meireles—Combinado! Aguardo ansiosamente a sua vinda.

Eng. Dupont—Prazer em ouvi-lo e até breve.

Eng. Meireles—Prazer em ouvi-lo também. Boa tarde.

 GRAMÁTICA

INFINITIVO PESSOAL

		-AR	-ER	-IR
Infinitivo	+	tu nós vocês eles	-es -mos -em	

Utilização do infinitivo pessoal:

1. *Quando o sujeito das duas orações é diferente.*
   - *A D. Helena pediu para nós* **chegarmos** *cedo.*

2. *Por simples questão de ênfase ou harmonia*
   - *Isto é o trabalho para tu* **fazeres**.

3. *Depois de:* **a fim de, antes de, depois de, em vez de, para, por**
   - É necessário enviar o mais depressa possível o catálogo deste ano aos nossos cliente *a fim de* eles **conhecerem** os nossos novos modelos.

   - *Antes de* **ires** para a sala de reuniões, não te esqueças de passar pelo meu gabinet

   - *Depois de* **resolvermos** o problema, informaremos os nossos fornecedores.

   - *Em vez de* **fazerem** perguntas, consultem o catálogo.

   - Eu vim cá *para* **tu me esclareceres** sobre a nova tabela de preços.

   - Admiro-os *por* **eles serem** dedicados aos amigos.

EXPRESSÕES DE CAUSA	EXPRESSÕES CONCLUSIVAS (DE CONCLUSÃO)	EXPRESSÕES DE FIM
porque pois como	portanto por isso	para a fim de
• A reunião foi adiada **porque** o administrador adoeceu. • A encomenda não pode ser entregue no prazo previsto, **pois** surgiu um problema com a matéria-prima. • **Como** o requerimento não tinha base legal, o ministro não lhe deu deferimento.	• Houve um problema de fabrico, **portanto** não podemos entregar a encomenda esta semana. • A qualidade dos artigos fornecidos não satisfaz, **por isso** somos forçados a devolvê-los.	• Por favor, fale mais devagar **para** eu compreender o que a senhora diz. • Reestruturaram os quadros da empresa, **a fim de** se adaptarem melhor às novas exigências do mercado.

FUTURO

-AR (VOLTAR)	-ER (RESPONDER)	-IR (DECIDIR)
voltarei	responderei	decidirei
voltarás	responderás	decidirás
voltará	responderá	decidirá
voltaremos	responderemos	decidiremos
voltarão	responderão	decidirão

Atenção: *fazer*—**farei**
            dizer—**direi**
            trazer—**trarei**

Enviaremos a factura pelo correio.

Responderei ao seu pedido quando tiver mais informações sobre o assunto.

A Dr.ª Elisabete **presidirá** à reunião.

Farei tudo o que puder para o ajudar.

O Dr. Campos **será** o futuro presidente da empresa.

1

— Confecções Irmãos Lopes Lda, bom dia.

— Bom dia. Desejava falar com o Dr. Lopes.

— O Dr. Lopes neste momento não pode atender. Está numa reunião de direcção. Quer deixar algum recado?

— Diga-lhe, faz favor, que telefonaram dos Armazéns Machado por causa da encomenda dos fatos de banho que fizemos há duas semanas.

2

— Boa tarde. Fala Torgny Anton e queria falar com o Eng. Duarte.

— Desculpe, a ligação está má e não estou a ouvir bem. Importa-se de repetir?

— Fala Torgny Anton e queria falar com o Eng. Duarte.

— Podia soletrar o seu nome, faz favor?

— T-O-R-G-N-Y   A-N-T-O-N.

— Aguarde um momento, faz favor, que eu vou ligar.

3

— Estou? Faz favor, a que horas é o rápido para Lisboa?

— Como?

— Não é dos serviços de informações dos caminhos-de-ferro?

— Não, não. Aqui é do 59061, duma casa particular.

— Desculpe, foi engano.

4

— É dos CTT?

— Sim, sim, faça o favor de dizer.

— Eu queria fazer uma chamada para a Alemanha, mas a pagar no destinatário.

— Qual é o número que deseja marcar?

— O número é o 20783 e o indicativo de zona é o 453.

— Diga-me de que número fala, faz favor.

— Do 25648, do Porto. Demora muito a ligação?

— Não, é rápido. Eu ligo já.

5

— Estou?! O Sr. Fontes está?

— Sou eu próprio. Quem fala?

— Eng. Lambert.

— Como está, Eng. Lambert?

— Bem, muito obrigado, Fontes. Queria dar-lhe os parabéns pelo seu contributo no sucesso obtido pela nossa firma na feira internacional deste ano.

— Muito obrigado, Eng. Lambert. Não fiz mais do que a minha obrigação.

SERVIÇOS DE URGÊNCIA

SOS
Número Nacional de Socorro

Telefone
115

POLÍCIA[1]

GNR

Brigada de Trânsito

PSP

Judiciária

Brigada Fiscal

BOMBEIROS[1]

SERVIÇOS DE UTILIDADE PÚBLICA

CÂMARAS MUNICIPAIS

ÁGUA
Consulte a lista em Câmara Municipal —
Serviços Municipalizados

TRANSPORTES RODOVIÁRIOS E FERROVIÁRIOS

SERVIÇOS DE INFORMAÇÕES NACIONAIS

Informação do número de telefone a partir
do nome e/ou morada

Códigos postais

Farmácias de Serviço

Preencher com o telefone da sua área de residência.

—Está, quem fala?

—É do 25063?

—Queria falar com...

—Ligue-me para a extensão...

—É possível falar com o Dr. Campos?

—Fale mais alto, por favor. Não ouço bem.

—Com quem deseja falar?

—Desejava falar com o Eng. Correia.

—A que horas é que ele estará aí?

—É o Paulo.

—É sim, quem fala?

—Um momento, eu vou chamar.

—Só um momento, faz favor.

—Sou eu próprio. Quem fala?

—E agora, já ouve melhor?

—Com o Sr. Rocha.

—O Eng. Correia não pode atender neste momento. Quer deixar recado?

—Por volta das 6h 30m.

• Não desligue!
• Aguarde um momento por favor.

O telefone está	impedido. avariado.	Volte a ligar	mais tarde. novamente. daqui a uma hora.

• As linhas estão sobrecarregadas.
• A ligação não está boa.

TELEFONES

Avarias 188ddd

Serviços de Informações
Nacionais 118

Informações sobre a sua
factura telefónica 144

Informação meteorológica 150

**ddd – Três primeiros digitos do número
de telefone que está a utilizar.**

 EXERCÍCIOS

A. Preencha os espaços com o vocabulário.

> falar, para, sobrecarga, avaria, aguarde, do, ligação, ligar, há

Telefonista — Avarias, faz favor?

Você — Estou a tentar telefonar _____ o 87289 de Lisboa _____ duas

horas e não consigo obter _____ . Há alguma _____ nas linhas?

Telefonista — _____ um minuto, por favor. Vou ver o que se passa. De que número

está a _____ ?

Você — Do 80125 de Leiria.

Alguns minutos mais tarde...

Telefonista — É _____ 80125?

Você — É sim.

Telefonista — Há uma _____ nas linhas. Volte a _____ mais tarde.

B. Junte as duas partes das frases de modo a fazerem sentido.

1	A D. Olga não conseguiu telefonar ao filho...

a) por causa do mau tempo.

b) a fim de reconhecer todas as assinaturas.

2	Como a linha estava impedida...

c) por isso não podemos fazer a entrega nesta semana.

3	O gerente telefonou...

d) portanto tem que ser lavado.

4	O Sr. Seixas chegou atrasado ao escritório...

e) porque o telefone estava impedido.

5	O chefe de pessoal demitiu-se...

f) resolvi telefonar mais tarde.

6	O algodão está muito sujo...

g) para confirmar a data de entrega do material requisitado.

7	O Dr. Sintra pediu à secretária para levar os documentos ao notário...

h) pois a sua chefia era contestada pela maioria dos trabalhadores.

8	O camião da fábrica avariou...

COMO SE DIZ...

PORTUGUÊS	FRANCÊS	INGLÊS	ALEMÃO
a fim de	afin de	in order to	um... zu
por causa de	à cause de	because of	aufgrund von
É pena, porque assim não é possível decidir...	C'est dommage parce qu'ainsi ce n'est pas possible de décider...	It is a pity because it is impossible to decide...	Das ist schade, denn so ist es unmöglich zu entscheiden...
dar andamento	faire marcher	to set something going	in Gang bringen
e por outro lado...	et d'autre part...	on the other hand...	andererseits...
dentro em breve	bientôt	soon	bald
Farei tudo o que puder...	Je ferai mon possible pour...	I'll do what I can...	Ich werde tun, was ich kann...
Combinado!	D'accord!	Settled!	Abgemacht!
Aguardo ansiosamente a sua vinda.	J'attends votre visite avec impatience.	I'm looking forward to your arrival.	Ich erwarte ungeduldig Ihre Ankunft.
Como o requerimento não tinha...	Comme la demande n'avait pas...	As the request hadn't...	Da der Antrag keine... hatte
...não lhe deu deferimento	...elle n'a pas été acceptée	...it wasn't granted	...wurde er nicht bewilligt
...por isso somos forçados a devolvê-los	...c'est pourquoi nous sommes obligés de vous les renvoyer	...that is why we are forced to refuse them	...daher sind wir gezwungen sie zurückzuweisen
Quer deixar algum recado?	Vous voulez laisser une commission?	Do you want to leave a message?	Möchten Sie eine Nachricht hinterlassen?
Foi engano.	C'est une erreur.	It was a wrong connection.	Falsch verbunden.
Fale mais alto, por favor.	Parlez plus haut, s.v.p.	Speak up, please.	Sprechen sie bitte lauter.
Não ouço bem.	Je n'entends pas bien.	I don't hear well.	Ich höre sie nicht gut.
Sou eu próprio.	C'est moi-même.	Speaking.	Am Apparat.

ONDE TRABALHAVA ANTES?

IMPERFEITO DO INDICATIVO

O Sr. Tiago Ribeiro trabalhava numa empresa na qual exercia funções que não lhe permitiam tempo disponível para a família. Resolve, por isso, candidatar-se a novo emprego.

—Sr. Tiago Ribeiro? Faça o favor de se sentar e estar à vontade. Segundo o seu *curriculum* o senhor trabalhava na M.I. Lda. Qual era exactamente a sua função?

—Bem, eu trabalhava no departamento de Relações Públicas e tinha funções diversificadas, mas fundamentalmente recebia os nossos compradores e os técnicos estrangeiros que nos prestavam assistência. Guiava-os na empresa, apresentava-os às pessoas, levava-os ao hotel, mostrava-lhes a cidade e proporcionava-lhes bem-estar.

—Uma profissão agradável. Gostava dessa actividade?

—Sim, sentia-me satisfeito com esses contactos, mas ficava-me pouco tempo livre para conviver com a família.

—O seu antecessor trabalhava das 9 h às 12 h e das 14 h 30 m às 18 h. Agrada-lhe?

—Agrada-me. De facto, esse horário permite-me encontrar diariamente os meus filhos.

IMPERFEITO DO INDICATIVO

	-AR (TRABALHAR)	-ER (RECEBER)	-IR (SENTIR)
eu	trabalha**va**	receb**ia**	sent**ia**
tu	trabalha**vas**	receb**ias**	sent**ias**
você ele/ela	trabalha**va**	receb**ia**	sent**ia**
nós	trabalhá**vamos**	receb**íamos**	sent**íamos**
vocês eles/ elas	trabalha**vam**	receb**iam**	sent**iam**

Atenção:

	SER	TER	VIR	VER	IR
eu	era	tinha	vinha	via	ia
tu	eras	tinhas	vinhas	vias	ias
você ele/ela	era	tinha	vinha	via	ia
nós	éramos	tínhamos	vínhamos	víamos	íamos
vocês eles/ elas	eram	tinham	vinham	viam	iam

Utilização do imperfeito:
Para exprimir descrição, duração e hábito no passado.

Descrição

• de pessoas — Ela **tinha** cabelos loiros.

• de ambientes
  Estava muita gente na festa.
  O dia **estava** lindo e **havia** muita gente na praia.

• de tempo — **Eram** cinco horas quando ele chegou.

• de acções
  Eu **estava** a ler o jornal quando tu chegaste.
  Enquanto o Pedro **via** televisão, o irmão **estudava**.
  O Sr. Mota **vinha** de Lisboa quando teve o acidente.

Hábito

Quando eu **era** jovem, **ia** muitas vezes à discoteca.
Antigamente a Susana **fumava** mais, agora fuma menos.
Quando era criança, **costumava** ir ao circo muitas vezes.

Duração

Chovia já há muitos dias.
Havia neve desde o mês de Novembro.

1

- Quando estiveste na Guiné o tempo estava bom?
- Estava calor durante o dia, mas as noites eram frias.
- Mas tu já sabias que havia essa diferença de temperatura, não é?
- Claro. Por isso mesmo levei roupas para as duas situações.

2

- O Pedro foi à tua casa, ontem?
- Não, não foi. Estava para ir mas saiu tarde do trabalho.
- Ah! Já me lembro. Ontem chegaram uns clientes alemães e ele teve que os receber.

3

- Já encontrou a Eva?
- Já! Ela está muito diferente. Antigamente usava cabelo curto e loiro e agora usa-o comprido e castanho.
- Eu acho que ela também está muito mais magra do que era, não acha?
- Tem toda a razão. Mas continua bonita.

4

- Esta noite está um filme de um bom realizador inglês no cinema S. Pedro. Quer ir vê-lo?
- Gostava muito, mas só posso ir à primeira sessão, porque preciso de me deitar cedo.
- De acordo. Então vamos já comprar os bilhetes.

5

- Queres ir ver o Porto — Benfica no domingo à tarde?
- Gostava imenso, mas é impossível.
- Tens cá a tua família?
- Não, mas já tinha combinado ir jogar ténis com o Jorge.

6

- Está?! É do 63217?
- Sim. Quem fala?
- Pedro Abreu. Queria falar com o senhor Pires, por favor.
- Sou eu mesmo. Como está?
- Bem, obrigado. Gostava de o convidar para a minha festa de anos, no próximo sábado à tarde.
- Teria muito prazer nisso, mas não tenho a certeza se posso ir, porque talvez vá a Lisboa nesse dia. Mas telefono-lhe amanhã a confirmar.
- Está bem. Aguardo o seu telefonema.

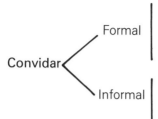

Actos sociais

Convidar

Formal
- Gostaria de o convidar | para jantar connosco no domingo.
  | para a minha festa de anos.
- Teria muito prazer (gosto) que viesse à minha casa.

Informal
- Aparece lá em casa.
- Queres vir tomar uma bebida?
- Queres ir ao cinema hoje?
- Vem almoçar connosco.

Aceitar
- Com todo o gosto (prazer).
- Obrigado/a pelo convite.
- Conta comigo.
- Lá estarei.
- Eu apareço.
- Combinado!

Hesitar
- Gostaria, mas não sei se é possível.
- Não tenho a certeza se posso ir.
- Talvez vá, mas depois telefono.
- Ainda não sei se posso ir, depois confirmo.

Recusar
- Gostaria muito de ir, mas não posso.
- Tenho muita pena, mas não é possível.
- Gostava, mas é impossível.
- Não posso ir porque estou (muito) ocupado.
- Prefiro não ir, não gosto desse tipo de festas.

Gostava (gostaria) de o convidar para
- o baptizado
- o casamento
- o aniversário (os anos)

da Susana.

Quer
Queres
Querem

ir
- ao cinema
- ao teatro
- ao concerto
- ao museu
- ao futebol
- à tourada
- à praia
- à piscina
- nadar
- pescar
- acampar
- passear
- caminhar
- correr

comigo?
connosco?

- jogar | ténis?
  | golfe?
  | futebol?

- andar a cavalo?
- andar de bicicleta?
- andar de mota?
- ver a exposição...?

GOLFE

- **Oporto Golf Club**, *Pedreira, Silvalde, Espinho, tel. 720008.* 18 buracos, par 71. Restaurante. Green fee 2500., sáb. e dom. 3000. (até às 11h); caddies 500., clubs 1000., trolleys 300. Lições de golfe 500./meia-hora.

MINIGOLFE

- **Minigolfe do Porto**, *Av. D. Carlos I (junto ao Passeio Alegre), tel. 688150.* 18 buracos. Pr.: 60./circuito, crianças (até aos 12) 40. 10-12 h e 14.30-19.30 h.

PISCINAS

- **Clube Residencial da Boavista**, R. Afonso Lopes Vieira, 148, tel. 694273. 18 m. Pr.: 460., sáb. e dom. 650. Aulas de natação, 2×45 min. por semana, 3800. (crianças 3300.) e 5500. de inscrição.
- **Hotel Boega-Health Club Soleil**, *R. Ameal, tel. 825045.* 13 m, aquecida. Pr.: 1500.; entrada livre para sócios (35 contos/ano). Aulas de natação 2×40 min por semana 5000./mês. 9-22 h.
- **Hotel Sheraton-Health Club Soleil**, *Av. da Boavista, tel. 668822.* Pr.: 1000. Aulas 2×40 min por semana 5000./mês e 1000. de inscrição. 8-21 h.
- **Piscina da Boa Hora**, *R. da Boa Hora, 20, tel. 312982.* 25x10 m. Pr.: 125., aulas 1500. (2×40 min. semanais.)

SQUASH

- **Clube Inglês**, *R. Campo Alegre, 532, tel. 667323.* 1 court. Pr.: 350., só para sócios.
- **Clube de Squash do Porto**, *R. João Martins Branco, 180, tel. 666771.* 4 courts. Restaurante. Pr.: 300./meia-hora. Lições (+300) com o profissional Tom Cohen; taxa de utilização 3000./mês. 11-23 h.
- **Hotel Sheraton-Health Club Soleil**, *Av. da Boavista, tel. 668822.* 1 court. Pr.: 600./meia-hora, sócios 300. (40 contos/ano). 8-21 h.
- **Parque da Gandra**, *Miramar, tel. 7622064.* 1 court. Pr.: 400., 50. para sócios (jóia 160 contos, 1500./mês). 10-21 h.

TÉNIS

- **Clube de Ténis do Porto**, *terrenos anexos à R. Damião de Góis.* 12 courts terra batida, 11 iluminados, 5 cobertos. Pr.: 500./h, sáb. e dom. 600.; sócios 300. (A: 1350./mês, B: 500./mês). Lições: de 900. (A) a 1300./h (B). 8-21 h.
- **Lawn-Tennis Clube da Foz**, *Passeio Alegre, tel. 680933.*

EXERCÍCIOS

A. Complete as frases usando o imperfeito dos verbos indicados.

1.   Antigamente as estradas (ser) _____ mais estreitas.

2.   No ano passado, o Francisco (trabalhar) _____ na TAP.

3.   O João (sentir-se) _____ mal disposto sempre que (conduzir) _____ em estradas com muitas curvas.

4.   Enquanto o Sr. Monteiro (atender) _____ o telefone, a secretária (escrever) _____ uma carta à máquina.

5.   Quando eu (ser) _____ criança (ter) _____ muitos brinquedos.

6.   Enquanto a mãe (pôr) _____ a mesa, os filhos (ver) _____ televisão.

7.   Quando o meu pai (vir) _____ do Algarve, (trazer) _____ -me sempre bolinhos de amêndoa.

8.   Eu (estar) _____ a arranjar o frigorífico quando tu telefonaste.

B. Dê sequência aos diálogos, utilizando as expressões de **aceitação, recusa** ou **hesitação**.

Pedro – Queres ir ao cinema hoje à noite?

(Você) – _____ (hesitação)

(Você) – Amanhã vou jogar ténis com o Henry. Queres vir também?

Jorge – _____ (aceitação)

Paulo – Resolvemos ir à praia no próximo fim-de-semana. Quer vir connosco?

(Você) – _____ (recusa)

C. Faça os exercícios, seguindo o exemplo e utilizando o verbo entre parêntesis no imperfeito do indicativo.

Ex.: *Nesse dia o mar estava agitado.*
(estar)

_____
_____ (haver)

_____
_____ (fazer)

_____ (conversar)
_____ (comer)

_____
_____ (ler)

PORTUGUÊS	FRANCÊS	INGLÊS	ALEMÃO
na qual	où	in which	in welcher
candidatar-se a	poser sa candidature	to apply for	sich bewerben um
Os técnicos estrangeiros que nos prestavam assistência...	Les techniciens étrangers qui nous assistaient...	The foreign technicians who assisted us...	Die ausländischen Techniker, die uns assistierten...
Proporcionava-lhes bem--estar.	Je leur óffrais du bien--être.	I looked after them.	Ich ermöglichte ihnen einen angenchmen Aufenthalt.
...mas ficava-me pouco tempo livre	...mais j'avais peu de temps libre	...but I had little time to spare	...aber mir blieb sehr wenig Freizeit
enquanto	tandis que	while/whereas	während
antigamente	jadis/avant/autrefois	formerly	früher
Estava para ir...	Il allait sortir...	I wanted to go...	Ich wollte hingehen...
Já tinha combinado...	Mais j'avais déjà...	I had already made an appointment...	Ich hatte schon ausgemacht...
Teria muito prazer nisso...	Cela me ferait très plaisir...	I would be very pleased...	Das würde mich sehr freuen...
Talvez vá, mas...	J'irai peut-être mais...	I'll may be go but...	Vielleicht werde ich gehen, aber...
Gostava que fosses comigo ao teatro.	J'aimerais que tu m'accompagnes au théâtre.	I would like you come to the theatre (with me).	Ich Möchtest, daß du mit mir ins Theater möchte.
Com todo o gosto.	Avec plaisir.	That would be lovely.	Sehr gern!
Tenho muita pena, mas não é possível.	C'est dommage mais c'est impossible.	I'm terribly sorry but it's impossible.	Es tut mir sehr leid, aber das ist nicht möglich.

SINTO-ME MAL, SR. DOUTOR.

CONJUGAÇÃO PRONOMINAL REFLEXA

Um senhor que veio há duas semanas de África sente-se doente e vai ao consultório de um médico. Após uma breve análise dos sintomas, o médico pensa que se trata de um ataque de paludismo.

Médico—Então de que se queixa?

Doente—Sr. Doutor, eu sinto-me mal. Tenho dores de cabeça e dói-me a zona do pescoço. Também tenho arrepios de frio e um mal-estar geral.

Médico—Tem tirado a temperatura?

Doente—Tive febre durante três dias mas depois desapareceu. Ontem à noite voltei a sentir-me febril e tinha 38,5.

Médico—E agora, sente-se ainda com febre?

Doente—Sim, parece que estou pior do que ontem.

Médico—Vamos pôr o termómetro, se faz favor.
Sente-se fraco? Tem tido apetite?

Doente—Sinto-me debilitado e tenho tido pouco apetite. Vim de África há duas semanas e desde aí não me tenho sentido bem.

Médico—Quanto tempo é que o senhor esteve em África?

Doente—Estive 5 anos em Angola e 6 na Guiné-Bissau.

Médico—Fez regularmente o tratamento para a malária?

Doente—Não, mas já tive várias vezes paludismo quando estive na Guiné. O Sr. Doutor acha que é paludismo?

Médico—Penso que sim. Tem todos os sintomas disso, mas deve fazer análises de sangue para confirmar.

CONJUGAÇÃO REFLEXA

Presente do indicativo

	-AR (QUEIXAR-SE)	-ER (ESQUECER-SE)	-IR (REUNIR-SE)
eu tu	queixo-**me** queixas-**te**	esqueço-me esqueces-te	reúno-me reúnes-te
você ele/ela	queixa-**se**	esquece-se	reúne-se
nós	queixamo-**nos**	esquecemo-nos	reunimo-nos
vocês eles/elas	queixam-**se**	esquecem-se	reúnem-se

Atenção: Mas, *sentir-se, divertir-se, ferir-se, servir-se:*

sinto-me	divirto-me	firo-me	sirvo-me
sentes-te	divertes-te	feres-te	serves-te
sente-se	diverte-se	fere-se	serve-se
sentimo-nos	divertimo-nos	ferimo-nos	servimo-nos
sentem-se	divertem-se	ferem-se	servem-se

Colocação do pronome: *geralmente depois do verbo.*
Ex.: Sinto-**me** bem.

Atenção: Há palavras que atraem o pronome para antes do verbo:

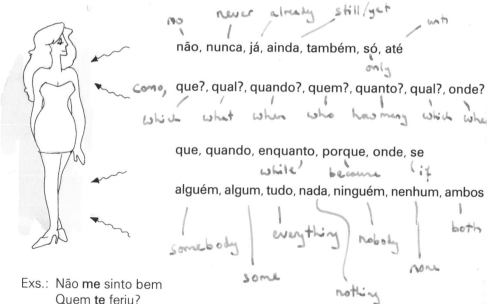

não, nunca, já, ainda, também, só, até

que?, qual?, quando?, quem?, quanto?, qual?, onde?

que, quando, enquanto, porque, onde, se

alguém, algum, tudo, nada, ninguém, nenhum, ambos

Exs.: Não **me** sinto bem
Quem **te** feriu?
Onde **te** abasteceste?
Ninguém **se** aborreceu.

No consultório médico...

1
— Sr. Doutor, dói-me muito esta perna e não posso andar.
— Caiu há pouco tempo?
— Sim, caí ontem e magoei-me bastante.
— É melhor tirar uma radiografia para fazer um diagnóstico correcto e verificar se há fractura.

Na urgência do hospital...

2
— O que tem a menina?
— Dói-lhe a barriga e tem muita diarreia, Srª Doutora.
— Também tem temperatura?
— Há duas horas tinha 39,3.
— É necessário interná-la para observações.

Na farmácia...

3
— Quem está a seguir?
— Sou eu. Queria uma pomada para aplicar nesta queimadura e uma caixa de aspirina.
— Quer uma embalagem grande ou pequena?
— Uma embalagem grande.
— Aqui está. Aplique a pomada quatro vezes ao dia na zona atingida.

No dentista...

4
— Abra a boca, por favor. Tem dois dentes cariados. Um precisa de ser extraído e o outro precisa de ser tratado.
— A extracção é com anestesia, Sr. Doutor?
— Sim, claro.

Ao telefone

5
— Consultório médico, faz favor?
— Queria marcar uma consulta de cardiologia.
— Para o Dr. Saraiva posso marcar para o dia 14, às 18 h 30 m; para a Drª Estela Rodrigues só no dia 23 às 14 h 15m.
— Preciso de ser observada o mais depressa possível. Marque para o Dr. Saraiva, por favor.

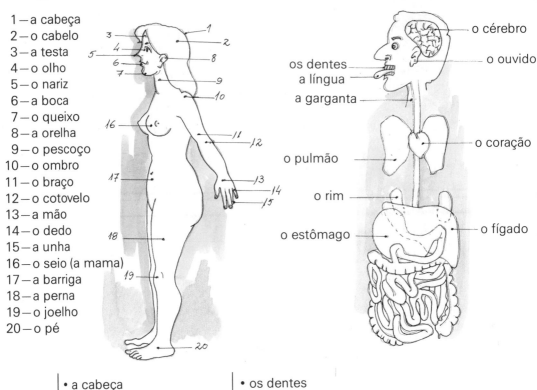

1 — a cabeça
2 — o cabelo
3 — a testa
4 — o olho
5 — o nariz
6 — a boca
7 — o queixo
8 — a orelha
9 — o pescoço
10 — o ombro
11 — o braço
12 — o cotovelo
13 — a mão
14 — o dedo
15 — a unha
16 — o seio (a mama)
17 — a barriga
18 — a perna
19 — o joelho
20 — o pé

os dentes
a língua
a garganta

o pulmão
o rim
o estômago

o cérebro
o ouvido
o coração
o fígado

Dói-me	• a cabeça • a garganta • o estômago	Doem-me	• os dentes • as costas • os rins

Sinto-me mal

Tenho	• febre (temperatura) • falta de apetite • vertigens • vómitos • arrepios (calafrios) • prisão de ventre • diarreia • uma dor	aguda/leve persistente/intermitente	nas costas

Celsius   Farenheit

Temperatura alta
Um pouco de temperatura
Temperatura normal

Tenho tensão arterial alta/baixa

O pé O braço A perna	está	partido/a deslocado/a

Sou
- alérgico/a
- diabético/a
- cardíaco/a

Estou
- constipado/a
- com gripe
- com temperatura (febre)
- nervoso

O que dizer a quem está doente:

Desejo-lhe um rápido restabelecimento.

Espero que melhore rapidamente.

As melhoras.

EXERCÍCIOS

A. Dê respostas ou faça perguntas para as frases abaixo indicadas.

1 —A que horas te deitaste ontem?

_____

2 —E a que horas te levantaste hoje?

_____

3 —Vocês divertiram-se muito na festa?

—Sim,_____

—Não,_____

4 —Lembram-se do último filme que vimos juntos?

—Sim,_____

—Não,_____

5 _____?

—Não, sinto-me muito bem.

6 _____?

—Ele queixa-se de dor de estômago.

7 _____?

—Não, ainda não me servi da salada.

B. Complete os diálogos com as frases escritas ao lado

1   Médico — De que se queixa?

    Doente — _____

a) O médico pode vir cá dar-
-me uma consulta?

2   Doente — _____

    Enfermeiro — O Sr. Dr. atende das 15 às 18
               horas.

b) Tenho dores de estômago.

3   Doente — _____

    Recepcionista — Sim, claro, nós temos um
                médico que vai ao hotel.

c) Qual é o horário das
consultas?

C. Imagine que está doente e precisa de ir ao médico. Construa um diálogo seguindo os
seguintes passos:

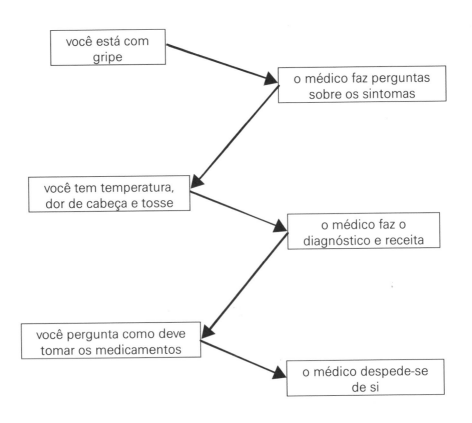

D. Olhe para o desenho. O que vai dizer cada um destes doentes ao médico?

① _____

② _____

③ _____

④ _____

⑤ _____

⑥ _____

PORTUGUÊS	FRANCÊS	INGLÊS	ALEMÃO
Após uma breve análise dos sintomas...	Après une étude rapide des symptômes...	After a short analysis of... the symptoms...	Nach einer kurzen Symptomanalyse...
ataque de paludismo	une crise de paludisme	an attack of malaria	einen Malariaanfall
Então, de que se queixa?	Alors, quel est votre problème?	Well, what's the problem?	Nun, was fehlt Ihnen?
Dói-me...	J'ai mal...	It aches...	Mir tut...weh
Tenho arrepios de frio.	J'ai des frissons.	I have cold fits.	Ich habe Schüttelfrost.
Estou pior do que ontem.	Je suis pire qu'hier.	I'm worse than yesterday.	Mir geht es schlechter als gestern.
Quem está a seguir?	Qui est le suivant?	Who's next?	Wer ist der Nächste?
o mais depressa possível	le plus vite possible	as quickly as possible	so schnell wie möglich
Estou constipado/a.	Je suis enrhumé.	I have a cold.	Ich bin erkältet.
Estou com gripe.	J'ai la grippe.	I have the flu.	Ich habe die Grippe.
Espero que melhore rapidamente.	Je vous souhaite une prompte guérison.	I hope you get better soon.	Ich hoffe, daß es Ihnen bald besser gehen wird.
As melhoras!	Prompt rétablissement!	Get well soon!	Gute Besserung!
O médico despede-se de si.	Le médecin vous dit au revoir.	The doctor says good-bye to you.	Der Arzt verabschiedet sich von Ihnen.

UNIDADE 19

UM ENFERMEIRO PRESTOU-LHES OS PRIMEIROS SOCORROS.

CONJUGAÇÃO PRONOMINAL SIMPLES

Após um grave acidente, um polícia interroga uma das testemunhas a fim de se informar das circunstâncias em que se deu o acidente.

Polícia — Este acidente foi muito grave, não foi?

João Bastos — Sim, gravíssimo. Ainda estou impressionado.

Polícia — O senhor presenciou-o?

João Bastos — Sim, eu vinha atrás e vi tudo.

Polícia — Conte-me como foi.

João Bastos — Bem, o condutor do carro vemelho tinha acabado de me ultrapassar, pisando o traço contínuo. Depois tentou ultrapassar o camião mas não conseguiu. Mais adiante, pouco antes desta curva, sem dar sinal, iniciou nova ultrapassagem e um carro de matrícula estrangeira, que vinha em sentido contrário, apanhou-o de frente.

Polícia — A que velocidade vinha o condutor do carro vermelho quando fez a ultrapassagem?

João Bastos — Não lhe posso dizer exactamente, mas este amigo que vinha comigo acha que o condutor do carro vermelho devia vir a 100 km/h.

Polícia — Foi o senhor que telefonou para o 115?

João Bastos — Fui. Depois de telefonar, ajudámo-los a sair do carro e um enfermeiro prestou-lhes os primeiros socorros.

CONJUGAÇÃO PRONOMINAL SIMPLES

• Ultrapassas agora **o camião**? Sim, ultrapasso-**o** já.

	Presente	Imperfeito	Pretérito Perfeito
eu	ultrapasso-**o**	ultrapassava-**o**	ultrapassei-**o**
tu	ultrapassa-**lo**	ultrapassava-**lo**	ultrapassaste-**o**
você ele/ela	ultrapassa-**o**	ultrapassava-**o**	ultrapassou-**o**
nós	ultrapassamo-**lo**	ultrapassávamo-**lo**	ultrapassámo-**lo**
vocês eles/ elas	ultrapassam-**no**	ultrapassavam-**no**	ultrapassaram-**no**

Formas verbais terminadas em

-r
Vais visitar *os teus pais*?

Vais visitar + os → vais visitá-**los** ?

-s
Presenciámos *o acidente*.

Presenciámos + o → presenciámo-**lo**

-z
Traz *as crianças*

Traz + as → trá-**las**

• Vais lavar *o carro?* Vais lavá-**lo**?
• Levas *a chave?* Leva-**la**?
• A Isabel traz *o carro?* A Isabel trá-**lo**

Mas

• Já guardaste *os documentos?* Não, ain
da não **os** guardei.
[Ver unidade 18. A regra de colocação
dos pronomes é a mesma.]
• Encontraram o *mecânico?* Encontra
ram-no?
• Dão *leite* aos gatinhos? Dão-no aos ga
tinhos?
• Põe a *máquina fotográfica* ali. Põe-na ali

Formas verbais terminadas em

-m
Eles viram *o acidente?*
Eles viram + o → viram-**no**

-ão
Elas dão *os brinquedos às crianças.*
Elas dão + os → dão-**nos**

-õe
Põe *a mala* aí.
Põe + a + aí → Põe-**na** aí

142

PRONOMES PESSOAIS
Complemento Indirecto
a mim ──────▶ me
a ti ──────▶ te
a si (você) ⎫
a ele ────── ⎬▶ lhe
a ela ⎭
a nós ──────▶ nos
a vocês ⎫
a eles ────── ⎬▶ lhes
a elas ⎭

—Telefonaste *ao director?*
—Sim, telefonei-**lhe**.
—Não, não **lhe** telefonei.

—O que ofereceste à *tua mulher* no dia de anos?
—Ofereci-**lhe** um anel de ouro.

—O que disseram *aos clientes?*
—Dissemos-**lhes** a verdade.

—O meu marido ofereceu-**me** uma prenda

—Os nosso filhos escreveram-**nos** ontem.

—Quem **te** disse isso?

com + (eu)	➟ **comigo**
com + (tu)	➟ **contigo**
com + (você)	➟ **consigo**
com + (nós)	➟ **connosco**

para + (eu)	➟ **para mim**
para + (tu)	➟ **para ti**
para + (você)	➟ **para si**

• Elsa, queres vir **comigo** ao cinema?

• Jorge, queria falar **contigo**.

• Sr. Castro, queria falar **consigo**.

• A Daniela foi **connosco** à praia.

• Desejava falar **com os senhores**.

• Esta prenda é para **mim**?

• Ana, estas flores são para **ti**.

• Bettina, esta carta é para **si**.

• D. Maria, esta carta é para **a senhora**.

• Isto é **para vocês**.

• Isto é **para os senhores**.

 MINI-DIÁLOGOS

1
—115, faz favor.
—Houve um acidente na auto-estrada do Norte, na zona dos Carvalhos. Foi um choque em cadeia.
—Sabe quantos feridos há?
—Talvez uns dez. Alguns estão em estado grave.
—As ambulâncias vão imediatamente.

115 NÚMERO NACIONAL DE SOCORRO (Grátis)   **115**

2

—O que lhe aconteceu? Partiu a perna?

—Fui atropelado por um carro quando atravessava uma rua.

—Quando tira o gesso?

—Só daqui a um mês.

3

—O senhor viu o acidente?

—Por acaso vi-o muito de perto.

—Importa-se de ser testemunha?

—Não, absolutamente nada. É a minha obrigação.

abc VOCABULÁRIO

- Atenção!
- Preste atenção!
- Cuidado!
- Tenha(m) cuidado!
- Seja prudente!
- Sr. condutor se conduzir, não beba!
- Use o cinto de segurança!

O carro

- despistou-se
- chocou
- (colidiu com...)
- bateu em...
- ficou desfeito
- atropelou dois peões

Houve

- feridos | graves / ligeiros
- mortos

Foi / Houve / (É)

um acidente

- fatal
- (muito) grave
- aparatoso
- ligeiro

Socorro!

Ajudem-nos!

É preciso chamar

- o **115**
- uma ambulância
- um médico
- os bombeiros
- a polícia

imediatamente!

HOSPITAIS[1]	Telefone	POLÍCIA[1]	Telefone
_____	_____	_____	_____
_____	_____	_____	_____
_____	_____	_____	_____

BOMBEIROS[1]	Telefone
_____	_____
_____	_____
_____	_____

(1) Preencher com o telefone da sua área de residência.

EXERCÍCIOS

Substitua a expressão *em itálico* pelo pronome pessoal correspondente.

1. Socorri *os feridos*. _____

2. Contactaram *a testemunha*? _____

3. Puseste *o triângulo* em local visível? _____

4. Socorreram *as crianças*? _____

Responda às perguntas, usando o pronome pessoal conveniente.

1. — Tens *a apólice de seguro* contigo?

   — Sim, _____

2. — Telefonaste *ao teu irmão* a comunicar o acidente?

   — Não, ainda não _____

3. — Pediste *ao Fernando e à Emília* para serem testemunhas do acidente?

   — Não, _____

4. — Tiraram *os feridos* do carro?

   — Sim, _____

Aplique as formas **comigo, contigo, consigo, connosco, com eles.**

1. A minha irmã foi _____ ao hospital. (*1ª pessoa do singular*)

2. Os polícias falaram _____ ? (*2ª pessoa do singular — "você"*)

3. O agente de seguros concordou com _____ . (*3ª pessoa do plural*)

4. Os feridos ligeiros vieram _____ no carro. (*1ª pessoa do plural*)

5. Posso contar _____ para testemunhar? (*2ª pessoa do singular — "tu"*)

PORTUGUÊS	FRANCÊS	INGLÊS	ALEMÃO
A que velocidade vinha o condutor?	À quelle vitesse venait le conducteur?	What speed was the driver doing?	Wie schnell fuhr der Fahrer?
Prestou-lhes os primeiros socorros.	Il leur a donné les premiers secours.	He gave them first aid.	Er hat Ihnen Erste Hilfe geleistet.
dia de anos	anniversaire	birthday/day of birth	Geburtstag
Foi um choque em cadeia.	Cela a été un carambolage.	It was a mass collision.	Das war eine Massenkarambolage.
Por acaso vi-o de muito perto.	Je l'ai vu de très près effectivement.	By chance I saw him very close.	Zufällig habe ich ihn sehr nah gesehen.

UNIDADE 20

QUERIA MANDAR UMA CARTA REGISTADA PARA...

PRESENTE DO CONJUNTIVO

Barbara quer mandar uma carta registada para os Estados Unidos, mas como não compreende muito bem português, a funcionária dos Correios ajuda-a a preencher o impresso de registo.

Barbara	— Queria mandar uma carta registada para os Estados Unidos.
Funcionária	— Tem que preencher primeiro o impresso de registo.
Barbara	— Desculpe, não compreendi muito bem. Podia repetir, por favor?
Funcionária	— É necessário preencher este impresso para que a senhora fique com um documento comprovativo do registo.
Barbara	— Mas eu não sei o que estas palavras querem dizer.
Funcionária	— Quer que eu lho preencha?
Barbara	— Agradeço que me faça isso, por favor.
Funcionária	— Então diga-me o seu nome e morada em Portugal.
Barbara	— Chamo-me Barbara Levan, mas como não tenho residência fixa em Portugal vou dar-lhe a morada de uns amigos. Espero que não haja problema.
Funcionária	— Penso que não. Qual é a direcção?
Barbara	— Rua S. João de Brito, 204,1º direito — 4100 Porto.
Funcionária	— Pronto. Já está. São 580$00.
Barbara	— Faça o favor. Muito obrigada pela ajuda.
Funcionária	— De nada. Espero que tenha umas boas férias em Portugal.

PRESENTE DO CONJUNTIVO

Verbos regulares e irregulares

Formação

Infinitivo	Presente do indicativo	Presente do conjuntivo
falar	eu falo	(que) eu fale
preencher	eu preencho	(que) eu preencha
residir	eu resido	(que) eu resida
vir	eu venho	(que) eu venha
fazer	eu faço	(que) eu faça

Presente do conjuntivo

		FALAR	PREENCHER	RESIDIR
(que) eu		fale	preencha	resida
(que) tu		fales	preenchas	residas
(que) você	ele/ela	fale	preencha	resida
(que) nós		falemos	preenchamos	residamos
(que) vocês	eles/elas	falem	preencham	residam

Atenção: *pagar* — (que) eu pague
ficar — (que) eu fique
conseguir — (que) eu consiga
dirigir — (que) eu dirija

Excepções

DAR	ESTAR	SER	IR	SABER	QUERER	HAVER
dê	esteja	seja	vá	saiba	queira	—
dês	estejas	sejas	vás	saibas	queiras	—
dê	esteja	seja	vá	saiba	queira	haja
dêmos	estejamos	sejamos	vamos	saibamos	queiramos	—
dêem	estejam	sejam	vão	saibam	queiram	—

- *É provável que* amanhã o tempo **melhore**.
- *Espero que* tudo **corra** bem.
- *Receio* (tenho medo) *que* ela não **resista** à gravidade da doença.
- *É preciso que* **haja** bom ambiente de trabalho.
- *Talvez* **fique** mais uma semana em Portugal.
- *Duvido que* ele **tenha** razão.

Utilização do presente do conjuntivo:

1. Depois de verbos que exprimem:

dúvida

> Duvido que **acabes** esse trabalho hoje.
> É possível que o correio **esteja** aberto até às 6 h.
> É provável que não **chova**.
> Talvez o autocarro **chegue** à hora prevista.

desejo

> Oxalá ela **consiga** arranjar emprego.
> Espero que tudo **corra** bem.
> Quero que **envie** esta carta registada.
> Prefiro que **venhas** nas férias do Verão.
> Estou ansiosa que **chegue** o Natal.

sentimento

> É pena que não **possas** vir à minha festa.
> Tenho medo que (receio que) o carro **avarie** na viagem.
> Alegra-me que **tenhas** conseguido arranjar emprego.

2. Depois de expressões impessoais ou palavras indefinidas

- É necessário que (é preciso que) **fales** das implicações políticas do problema.
- É importante que **conheça** bem os usos e costumes do povo.
- Há aqui alguém que **fale** inglês?
- A esta hora não há nenhum mecânico que **faça** esse serviço.
- Quero um apartamento que **tenha** aquecimento central.

. Depois destas expressões quando elas se referem a uma situação presente ou futura:

- Mesmo que **chova** torrencialmente tenho de fazer a viagem.
- Embora ele **viva** em Angola, vem muitas vezes a Portugal.
- Vou no próximo ano a Moçambique, a não ser que **sejam** alterados os projectos da empresa.
- Vou escrever a carta antes que o chefe **apareça**.

🔊 *MINI-DIÁLOGOS*

Nos Correios
1
—Quando é que esta carta chega a Angola?
—É provável que chegue na próxima quinta-feira.
—E por correio expresso?
—Nesse caso, é possível que chegue daqui a três dias.

No escritório
2
—É necessário que vá ao correio enviar esta encomenda.
—Mando-a registada ou não?
—Não podemos correr riscos. Convém que a registe.

No escritório
3
—Espero que a administração seja receptiva e aceite a nossa proposta.
—É muito provável que aceite. Apesar de tudo, o administrador também está interessado n negócio.

No escritório
4
—Esperamos que compreendam a situação. Houve um acidente com o camião da firma, po isso só podemos entregar o material para a semana.
—E o senhor não arranja alguém que lhe alugue um camião?
—Num espaço de tempo tão curto, não é possível arranjar um camião com aquela tonela gem.

Num café
5
—Quando regressas ao Brasil?
—Tenciono ir já no próximo mês, a não ser que consiga resolver todos os assuntos antes

Furundal Brunks, Julho 1991

Caros amigos:

Depois de duas semanas inesquecíveis na vossa companhia e nesse país tão agradável, regressei ao meu trabalho com energias renovadas.

Não posso esquecer a vossa hospitalidade e amizade nem os passeios que me proporcionaram.

Mostrei as fotografias a amigos que ficaram entusiasmados com o vosso país e é provável que me acompanhem quando eu voltar novamente a Portugal.

Gostaria muito que aceitassem o meu convite para virem conhecer o meu país.

É pena que não possam vir já neste começo de Verão, porque é uma época muito bonita.

Espero que toda a vossa família esteja bem. Um grande abraço para todos da

Eva

TELEGRAMA

CORREIOS E TELECOMUNICAÇÕES DE PORTUGAL

IND. DE SERVIÇO	ORIGEM			NÚMERO	PALAVRAS	DATA	HORA

INDICAÇÕES (Vide verso) *Transmissão e entrega urgentes*

NOME DO DESTINATÁRIO *Hugo Macedo Carvalho*

MORADA E TELEFONE (ou TELEX) *Rua Conselheiro Diogo Cruz 188 - 2º Dto. 6200 Covilhã*

CUSTO

_____ $ _____
_____ $ _____
_____ $ _____
_____ $ _____

TOTAL _____ $

Indicações de transmissão

TEXTO E ASSINATURA

Parabéns. Feliz aniversário.

NOME, MORADA E TELEFONE DO EXPEDIDOR (estas indicações não são transmitidas)
Mário Oliveira - Rua Direita, 20 - R/C 8000 Faro

HORA DE APRESENTAÇÃO

Mod. 6

 *EXERCÍCIOS*

A. Preencha os espaços vagós com o verbo no presente do conjuntivo.

1 É pena que a D. Maria do Carmo não _____ (estar) presente.

2 Espero que a viagem _____ (correr) bem.

3 Alegra-me que o senhor _____ (ter) feito um bom negócio.

4 Duvido que o comboio _____ (partir) atrasado.

5 Talvez o presidente do Conselho Administrativo _____ (vir) à reunião.

6 Não é provável que a gente _____ (saber) a resposta hoje.

7 Não permito que tu _____ (conduzir) o jipe.

8 Tenho medo que a empresa se _____ (atrasar) na entrega da encomenda.

9 Esperamos que os senhores não _____ (faltar) ao prometido.

10 Segundo o boletim meteorológico, é possível que amanhã _____ (chover).

11 Estou decidida a mudar de emprego, a não ser que o director me _____
_____ (aumentar) o ordenado.

B. Continue as frases segundo a sua imaginação:

1 Talvez _____

2 É necessário que _____

3 É possível que _____

4 Não posso admitir que _____

5 Tenciono alugar um apartamento maior, a não ser que _____

6 Queremos que _____

7 Duvido que _____

8 Mesmo que _____   _____

9 Ele tem medo que _____   _____

10 Espero que _____

PORTUGUÊS	FRANCÊS	INGLÊS	ALEMÃO
Para que a senhora fique com...	Pour que vous restiez avec...	In order that you keep...	Damit sie behalten...
Mas eu não sei o que estas palavras querem dizer.	Mais je ne sais pas ce que ces mots signifient.	But I don't know the meaning of these words.	Aber ich verstehe diese Worte nicht.
Quer que eu lho preencha?	Vous voulez que je vous le remplise?	Shall I fill it in for you?	Soll ich das für Sie ausfüllen?
Agradeço que me faça isso, por favor.	Vous seriez très aimable.	That would be very kind of you, thank you.	Da wäre ich Ihnen sehr dankbar.
É preciso que...	Il faut que...	It is necessary that...	Es ist notwendig, daß...
Duvido que...	Je doute que...	I doubt that...	Ich bezweifle, daß...
Oxalá ela consiga arranjar emprego.	J'espère qu'elle réussira à trouver un emploi.	I hope she finds herself a job.	Hoffentlich findet sie eine Arbeitsstelle.
Mesmo que chova...	Même qu'il pleuve...	Even if it rains...	Selbst wenn es regnet...
Embora ele viva em...	Bien qu'il habite...	Although he lives in...	Obwohl sie in... lebt
a não ser que...	à moins que...	provided that...	es sei denn, daß...
antes que...	avant que...	before...	bevor...
Convém que...	Il vaut mieux...	It is advisable...	Es empfiehlt sich, daß...
Não posso esquecer a vossa hospitalidade nem os passeios que me proporcionaram.	Je ne peux pas oublier ni votre hospitalité ni les promenades que nous avons fait.	I won't forget your kind ness and hospitality and the trips you made possible.	Ich Kann Ihre Gastfreundschaft nicht vergessen und auch nicht die Ausflüge die Sie mir ermöglichten.
Gostaria muito que aceitassem...	J'aimerais que vous acceptiez...	I would be pleased if you would accept...	Ich würde mich sehr freuen, wenn Sie... annähmen

ESCOLHE PEIXE OU CARNE.

FUTURO DO CONJUNTIVO

O Eng. Sá Meireles convidou o Eng. Dupont para um almoço no restaurante típico. Depois de verem a ementa, decidem pedir espargos, para a entrada, e carne de porco com amêijoas.

Eng. Sá Meireles — Costumo vir muitas vezes a este restaurante. É acolhedor e a comida é saborosa.

Eng. Dupont — Sim, e na verdade tem uma grande variedade de pratos típicos.

Eng. Sá Meireles — O que prefere como entrada? Eu sugiro melão com presunto; mas os espargos com molho de manteiga também são óptimos.

Eng. Dupont — Eu prefiro espargos, são mais leves.

Eng. Sá Meireles — E depois, escolhe carne ou peixe?

Eng. Dupont — O que me aconselha?

Eng. Sá Meireles — Bom, o bacalhau à Brás é muito bom. No entanto, se preferir carne, pode experimentar a carne de porco à alentejana.

Eng. Dupont — Como é servida?

Eng. Sá Meireles — São bocados de carne de porco com amêijoas.

Eng. Dupont — Deve ser bom, se for bem preparado.

Eng. Sá Meireles — Quando provar vai ver que gosta. E quanto a vinhos, tem alguma preferência?

Eng. Dupont — Se concordar, preferia Colares porque já provei e gostei bastante.

Eng. Sá Meireles — Boa ideia! Eu vou pedir o mesmo para mim.

 **GRAMÁTICA**

FUTURO DO CONJUNTIVO
Verbos regulares e irregulares

Formação

Infinitivo	Pretérito perfeito do indicativo	Futuro do conjuntivo
provar	eles **provar**am	(se) eu **provar**
comer	eles **comer**am	(se) eu **comer**
preferir	eles **preferir**am	(se) eu **preferir**
ir/ser	eles **for**am	(se) eu **for**

Futuro do conjuntivo

provar	comer	preferir
provar**es**	comer**es**	preferir**es**
provar	comer	preferir
provar**mos**	comer**mos**	preferir**mos**
provar**em**	comer**em**	preferir**em**

Utilização do futuro do conjuntivo:

Para exprimir uma acção futura, hipotética ou indefinida, com as conjunções **se**, **quando** **enquanto**.

* *Se* **houver** caldeirada, eu como.
* *Se* **tiver** tempo, vou ao mercado comprar legumes.
* *Se* **puder**, vou a tua casa logo à noite.
* *Quando* **quiseres**, tens a minha casa à tua disposição para passares férias.
* Telefono-lhe, *quando* **chegar**.
* Vou oferecer um tapete de Arraiolos à minha mãe *quando* ela **fizer** anos.
* *Enquanto* **estiver** mau tempo, não faço a viagem.
* *Enquanto* o bebé **tiver** febre, não podemos sair.

 MINI-DIÁLOGOS

Na rua
1
—Desculpe, pode aconselhar-me um bom restaurante nesta área?
—Há um já aqui ao fundo da rua, especializado em grelhados, a Churrasqueira Africana.
—Óptimo, é isso mesmo que eu procurava.

No restaurante
2
—Boa noite, queria uma mesa para quatro pessoas.
—Preferem na sala ou no terraço?
—Se houver mesa no terraço, preferimos.
—Há uma mesa de quatro pessoas que vai ficar livre dentro de alguns minutos. Se quiserem, fic
reservada.

No restaurante
3
—Pode dar-me a ementa, por favor?
—Com certeza. Aqui está.
—O que é o cozido à portuguesa?
—É um prato tipicamente português. Tem vários tipos de carnes cozidas: vaca, porco, galinha. Também tem várias espécies de fumados: presunto, salpicão e chouriço. É acompanhado de batatas, hortaliça e cenoura cozida. Vem também uma travessa de arroz seco.
—Na verdade é um prato muito variado e forte. Traga-me uma dose, por favor.

No restaurante
4
—Desejam mais alguma coisa?
—Sim. O que há para sobremesa?
—Temos queijo da serra muito bom, pudim de laranja, fruta variada e torta gelada.
—Queremos um pudim e uma torta.

Na pastelaria
5
—Faz favor! Traga-me um descafeinado e um chá.
—Deseja leite para pôr no chá?
—Não. Mas traga-me, um cinzeiro e a conta, faz favor, porque estamos com pressa.

 VOCABULÁRIO

Aperitivos e entradas	• azeitonas • bolinhos de bacalhau • camarões • caracóis • castanhas de caju • cogumelos • ostras • sardinhas • croquetes • rissóis	Sopa	• canja • caldo verde • gaspacho • de legumes • de peixe • de marisco
Peixe e marisco	• gambas • lagostim • lampreia • linguado • lulas • pescada • polvo • salmão (fumado) • santola	Carnes	• de vitela • de vaca • de porco • de leitão • de frango • de pato • de peru • de cabrito • de coelho • de javali • de veado

Ovos
- cozidos
- mexidos
- estrelados
- omolete

Maneira de cozinhar os alimentos
- assado/a
- cozido/a
- estufado/a
- frito/a
- grelhado/a
- bem passado/a
- mal passado/a

Bebidas
- sumo de frutas
- água mineral
  - com gás
  - sem gás
- cerveja
- vinho
  - branco
  - tinto
  - verde
  - maduro
  - rosé

 **EXERCÍCIOS**

A. Coloque os verbos no futuro do conjuntivo.

1. Quando _____ (voltar) a Portugal, venho almoçar a este restaurante.

2. Se você não _____ (gostar) de caldeirada, pedimos pescada no forno.

3. Se o empregado _____ (dizer) que o peixe não é fresco, prefiro um prato de carne.

4. Quando vocês _____ (ir) a Lisboa, não percam um espectáculo de fados.

5. Quando _____ (comprar) este livro, lê o artigo sobre vinhos portugueses.

6. Faz como _____ (querer).

7. Venha a minha casa quando _____ (querer).

8. Quem não _____ (estar) de acordo, levante o braço.

9. Se a data da reunião não lhe _____ (convir), diga-me.

10. Damos uma boa gorjeta ao empregado, se ele _____ (ser) simpático.

11. Aviso-te quando _____ (ter) notícias sobre o assunto.

12. Quando _____ (fazer) o relatório, envio-lhe uma cópia.

13. Se _____ (chover) não saio de casa.

14. Enquanto o tempo não _____ (melhorar) não saio de casa.

15. Quando _____ (haver) razões para isso, peço a minha demissão do cargo.

B. Complete o diálogo com as palavras indicadas no rectângulo.

ementa	servido	bem	Queríamos	molho
fogão	conta	beber	for	prato	aconselha
momento	bom	doses	nada	conta	assada

Empregado — Boa noite. Faça o favor de dizer.

Cliente — _____ uma mesa para seis pessoas.

Empregado — Só se _____ aquela acolá junto ao _____ de sala.

Cliente — Está _____ . Traga-nos a _____ .

Empregado — Com certeza. Só um _____ .

Cliente — Como é _____ este prato?

Empregado — É carne _____ com um _____ especial.

Cliente — Deve ser _____ . Então, traga cinco _____ e três saladas
mistas.

Empregado — E para _____ , vinho verde ou maduro?

Cliente — O que nos _____ ?

Empregado — O vinho verde acompanha bem este _____ .

Mais tarde...

Empregado — Desejam mais alguma coisa?

Cliente — Mais _____ , obrigado. A _____ , por favor.

160

C. Continue as frases dos balões.

PORTUGUÊS	FRANCÊS	INGLÊS	ALEMÃO
Costumo vir muitas vezes a este restaurante.	Je viens souvent à ce restaurant.	I used to visit that restaurant very often.	Gewöhnlich komme ich oft in dieses Gasthaus.
no entanto...	cependant...	in the meantime...	inzwischen...
Tens a minha casa à tua disposição.	Ma maison est à ta disposition.	I place my house at your disposal.	Ich stelle dir mein Haus zur erfügung.

E SE FÔSSEMOS DAR UM PASSEIO?

IMPERFEITO DO CONJUNTIVO
CONDICIONAL

m casal estrangeiro resolve dar um passeio pelo Minho e conversa sobre a beleza os lugares por onde passa.

Lennart — Realmente o Minho é muito bonito. A sugestão dos nossos amigos para darmos este passeio foi óptima, não achas?

Inger — Sem dúvida. Repara no colorido da paisagem. Tudo tão verde e florido!

Lennart — E tanto granito por todo o lado! As casas têm uma aparência sólida e integram-se muito bem na paisagem.

Inger — Todos estes campos parecem pequenos jardins. A agricultura é muito variada: no mesmo campo há vinhas, milho e diversos legumes.

Lennart — Esta é a zona do vinho verde, não é? Temos que o provar. Que achas se levássemos duas garrafas para o nosso filho?

Inger — Acho boa ideia. E que tal se parássemos para almoçar? Este ambiente do campo está a abrir-me o apetite.

Lennart — Se houvesse um restaurante com vista panorâmica, eu preferia.

Inger — Eu também. Na próxima localidade paramos e pedimos informações no posto de turismo.

IMPERFEITO DO CONJUNTIVO
Verbos regulares e irregulares

Infinitivo	Pretérito perfeito do indicativo	Imperfeito do conjuntivo
parar	eles pararam	(se) eu parasse
comer	eles comeram	(se) eu comesse
decidir	eles decidiram	(se) eu decidisse
fazer	eles fizeram	(se) eu fizesse
ir/ser	eles foram	(se) eu fosse
querer	eles quiseram	(se) eu quisesse

			Irregulares	
PARAR	COMER	DECIDIR	FAZER	IR
parasse	comesse	decidisse	fizesse	fosse
parasses	comesses	decidisses	fizesses	fosses
parasse	comesse	decidisse	fizesse	fosse
parássemos	comêssemos	decidíssemos	fizéssemos	fôssemos
parassem	comessem	decidissem	fizessem	fossem

Utilização do imperfeito do conjuntivo:

1. *Nos mesmos casos do presente do conjuntivo* (verbos que exprimem **desejo, dúvida** e **sentimento**) *quando o verbo da oração principal está no passado.*

   • *Queria que* o senhor me **fizesse** um favor.

   • *Duvidei que* **chegássemos** a tempo.

   • *Tive medo que* o carro **avariasse**.

2. *Em frases que exprimem uma condição, aparecendo sempre na oração introduzida por* **se**.

   • *Se* eu **pudesse**, ficaria neste local muito mais tempo.
   (**ficava** — uso coloquial)

   • *Se* eu **soubesse** isso antes, não teria comprado o carro.
   (**tinha** — uso coloquial)

   • *Se* o senhor me **tivesse** dado essa informação antes, eu **teria** tomado outra decisão.
   (**tinha** — uso coloquial)

3. *Depois de palavras indefinidas.*

   • Queria *um* hotel que **tivesse** parque de estacionamento privativo.

   • Não havia *ninguém* que **falasse** inglês.

   • Ela não conhecia *nenhuma* loja onde **pudesse** comprar aquele produto.

CONDICIONAL

alaria	comeria	decidiria
alarias	...	...
alaria	...	...
alaríamos	...	...
alariam	...	...

Atenção:
fazer — **faria**
dizer — **diria**
trazer — **traria**

Teria muito gosto que viesse a minha casa.
Gostaria de ver o apartamento.
Isso **seria** óptimo!

 ## MINI-DIÁLOGOS

1
– Se no próximo fim-de-semana não chovesse, onde gostaria de ir?
– Gostaria de dar um passeio pelas praias do Sul de Portugal.
– Se não tivesse um compromisso profissional, iria consigo.
– Teria muito gosto nisso.

2
– O director-geral da companhia propôs que eu fosse trabalhar para outro país, mas eu decidi continuar em Portugal.
– Porquê?
– Porque em Portugal há muito sol e os portugueses são muito hospitaleiros.

3
– Hoje é dia da feira semanal de Barcelos. E se fôssemos dar um passeio até lá?
– Óptima ideia. Poderíamos comprar algumas peças de louça e talvez uma toalha bordada.
– Eu vou comprar um galo de Barcelos. São tão bonitos!

4
– Que bonita paisagem! Eu gosto muito da montanha.
– Realmente é um lugar maravilhoso. O sítio ideal para passar férias e descansar, não achas?
– Sem dúvida! Se eu pudesse passava aqui alguns meses.

5
– Hoje há um espectáculo de ranchos folclóricos e música tradicional portuguesa, na Casa Cultural do Minho. Gostavas de ir?
– Adorava! Mas já é muito tarde para arranjarmos bilhetes.
– Talvez não seja. O António disse que se fôssemos já ainda arranjávamos bilhetes.

Algarve

EXERCÍCIOS

A. Complete as frases com o verbo no imperfeito do conjuntivo.

1. O Sr. Abreu disse-me que era provável que a encomenda ainda _____

   _____ (chegar) hoje.

2. Embora já _____ (ser) meia-noite, resolvi ir dar um passeio.

3. Que pena! Pensei que a Isabel _____ (poder) vir à festa.

4. Como é linda esta zona do país! Se a Cristina _____ (estar) aqui, tiraria imensas fotografias.

5. Se eu _____ (saber) o número do telefone da casa do Daniel telefona-va-lhe para lhe dar os parabéns.

6. Queria que a senhora me _____ (dar) uma informação.

7. Eles disseram que chegavam a horas, a não ser que o comboio se

   _____ (atrasar).

8. Gostaria que os senhores _____ (compreender) a nossa posição.

B. Dê continuidade às frases:

1. Ele disse-me que viria, a não ser que _____

2. Ficaria muito mais tempo neste lugar, se _____

3. Queríamos que o senhor _____

4. Pedia-te que _____

5. Tive medo que _____

6. Era melhor que _____

C. Preencha os espaços vagos com o verbo no condicional.

[1] Se não nos sentíssemos tão cansados _____ (ir) viajar pelo interior do país.

[2] _____ (ser) óptimo se conseguisses ter tempo para visitar todo o litoral português.

[3] _____ (ter) muito gosto em ir à sua casa, se ficasse mais uns dias em Lisboa.

[4] _____ (gostar) imenso de aceitar o seu convite, mas tenho um compromisso profissional marcado para esse dia.

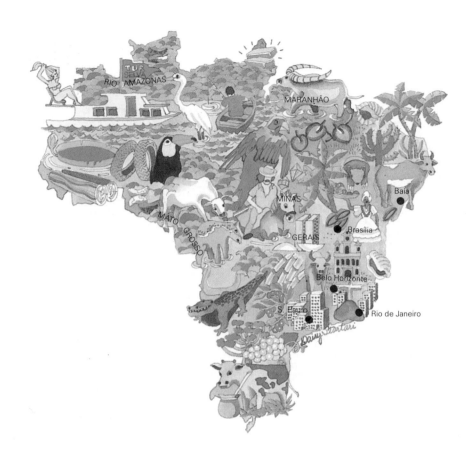

O BRASIL, EM RESUMO.

– Que cidades visitaste quando estiveste no Brasil?

– Visitei o Rio de Janeiro e a Baía. O Rio de Janeiro e o seu famoso Carnaval já tu conheces. A Baía é colorida e alegre, com uma gastronomia de influência africana.

– Comeste algum prato que te deixou saudades?

– Sim, comi vatapá e moqueca de peixe. Qualquer um dos pratos é uma verdadeira delícia.

– Parece que a Baía tem 365 igrejas, não é?

– É verdade, mas também tem muitos terreiros de Candomblé, que é um culto religioso trazido de África. Aliás, há ainda outra influência africana na cultura brasileira: a capoeira, que hoje é uma dança com música própria, mas antigamente era um sistema de defesa e ataque angolanos.

— Já assististe a algum espectáculo de batuque?

— Não, embora já esteja em Angola há algum tempo, ainda não tive oportunidade de ver essa dança tão tipicamente angolana, mas espero assistir ao Carnaval da Vitória nos próximos dias 25, 26 e 27 de Março.

— Ah! Já me esquecia disso. De facto, não podemos perder uma festa dessas! Não sei se sabes, esses festejos realizam-se todos os anos na mesma data e, só para veres a sua importância, existem já nesta altura centenas de grupos carnavalescos de adultos e cerca de 300 de pioneiros.

— Sim, sim. Eu sei até que existe uma Escola Nacional de Dança que inclui dança africana, angolana, moderna e clássica.

—Olá, também por cá?

—É verdade. Cheguei há poucos dias e estou a trabalhar num dos terminais do porto de Maputo. Ainda conheço mal a cidade.

—Vou amanhã ao mercado de Xipamanine. Quer vir comigo? Lá pode contactar com a cultura moçambicana e encontra de tudo um pouco: máscaras, cestos, cerâmicas, estatuetas...

—Vou com todo o prazer. Esse mercado é muito longe?

—Não, fica nos arredores da cidade, na zona do Caniço.

—Está bem. Onde nos encontramos?

—Aqui no hotel, na recepção.

—Então já decidiste se vais a S. Tomé e Príncipe no próximo Verão?

—Talvez vá. E a propósito, tu que conheces tão bem África é que me podias dar algumas informações sobre estas ilhas.

—Bom, eu estive lá apenas de passagem, mas posso dizer-te que a paisagem é uma maravilha! Existem numerosas ribeiras que fertilizam o terreno e prolongam a vegetação desde o mar até ao alto das montanhas. Há também muitas plantações de cacau e café. Se tiveres ocasião, não deixes de visitar o Pico dos Dois Irmãos, na costa leste.

Vou na quarta-feira para Bissau, Alberto. Como tu já lá estiveste a trabalhar, deves conhecer bem o país. O que me aconselhas a visitar?

Podes visitar algumas tabancas balantas, mandingas e de outras etnias, no interior. Se tiveres tempo, aconselho-te a ires passar uns dias aos Bijagós. A paisagem é uma maravilha!

– Olá, André, donde vem?

– Fui dar um passeio com uns amigos cabo-verdianos que me levaram à Cidade Velha.

– E o que é a Cidade Velha?

– É a primeira cidade que os Portugueses fundaram na ilha de Santiago. Fica a poucos quilómetros da cidade da Praia.

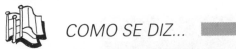

PORTUGUÊS	FRANCÊS	INGLÊS	ALEMÃO
E se fôssemos dar um passeio?	Et si nous allions faire une promenade?	Shall we go for a walk?	Wollen wir einen Ausflug machen?
E que tal se parássemos para almoçar?	Et si nous arrêtions pour déjeuner?	Shall we stop for lunch?	Wollen wir anhalten, um Mittag zu essen?
Está a abrir-me o apetite.	Je commence à avoir de l'appétit.	It's making me hungry.	Es macht mich hungrig.
...telefonava-lhe para lhe dar os parabéns.	...je lui téléphonerais pour lui souhaiter un joyeux anniversaire.	...I would phone in order to congratulate him.	...ich rief ihn an, um ihm zu gratulieren.
Eles disseram que chegavam a horas.	Ils ont dit qu'ils arriveraient à l'heure.	They said they would arrive in time.	Sie sagten, sie würden rechtzeitig ankommen.
deixou saudades	dont tu te souviens	he/she left his/her best wishes	er/sie läßt grüßen
vatapá	plat brésilien	Brazilian food	brasilianisches Gericht
moqueca de peixe	plat brésilien	Brazilian food	brasilianisches Gericht
Qualquer um dos pratos é...	N'importe quel plat est...	Each of the dishes is...	Jedes Gericht ist...
Candomblé	rituels brésiliens	Brazilian ritual	brasilianisches Ritual
Aliás...	D'ailleurs...	By the way...	übrigens…
a capoeira	dance brésilienne	Brazilian dance	brasilianischer Tanz
batuque	dance angolaise	Angolan dance	angolanischer Tanz
Olá, também por cá?	Salut, tu es là aussi?	Hello, you are here as well?	Hallo, bist du auch hier in dieser Gegend?
uma tabanca	village de Guinée	village in Guinea	Dorf in Guinea
Balantas	tribu de Guinée	tribe from Guinea	Stamm in Guinea
Mandingas	tribu de Guinée	tribe from Guinea	Stamm in Guinea
Bijagós	tribu de Guinée	tribe from Guinea	Stamm in Guinea

SOLUÇÕES DOS EXERCÍCIOS

UNIDADE 1

1. | o gato | as senhoras | o telefone | o banco |
   |---|---|---|---|
   | as gatas | a gata | os Correios | as cartas |
   | o senhor | o cão | a rua | os selos |

2. A Maria está na praia.
   A Rosa está na rua.
   O gato está no jardim.
   O homem está no carro.
   O João telefona ao Pedro.

   O Pedro telefona ao Sr. José.
   O José escreve à D. Catarina.
   A Teresa escreve à mãe.
   O senhor Melo diz adeus aos filhos.
   O senhor Pereira diz adeus às filhas.

3. ovos, legumes, pães, tomates, limões, laranjas, pacotes de leite, garrafas de vinho, salsichas, pacotes de manteiga, costeletas

UNIDADE 2

A. Um milhão cento e vinte e cinco mil escudos.

B.

1. Quatrocentos e noventa escudos.

2. Mil e quinhentos escudos.

3. Seiscentos e cinquenta e cinco escudos.

4. Noventa escudos.

5. Setenta e oito escudos.

6. Cem escudos.

UNIDADE 3

A. Queria aquele livro grande.
Este livro é bom?
Esse livro é óptimo.

B.

1. meu
2. tua/sua
3. meu
4. suas, minhas
5. nosso/meu, nosso
6. meus/nossos
7. dela
8. sua
9. Isto
10. aquilo

UNIDADE 4

1.
— Bom dia, como está?
— Bem, obrigado. E o senhor?
— Também estou bem, obrigado.

2.
— Olá, Miguel.
— Olá, Gary. Estás bom?
— Estou bom, e tu?

3.
— Bom dia, António. Este é o meu amigo Carlos.
— Olá, Carlos, estás bom?

4.
— Como está, Sr. Miguel?
— Bem, muito obrigado. Apresento-lhe o engenheiro Roberts.
— Muito prazer.
— Muito prazer.

5.
— Bem-vindo a Portugal, Sr. Nilsson
— Obrigado. Estou muito contente por estar cá.

UNIDADE 5

A.

1. sou
2. és
3. estamos
4. são
5. está
6. está
7. é
8. É
9. São
10. é
11. são
12. somos
13. são
14. é

B.

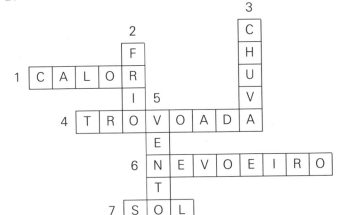

C.
2. Ela está contente.
3. Ele está preocupado.
4. A criança está doente.
5. Ela está constipada.
6. Ele está bêbedo.
7. Ele está triste.
8. Ele está indeciso.
9. Ela está cansada.

D.
2. Ele é casado.
3. A estrada é larga.
4. O livro é grosso.
5. O homem é magro.
6. O filme é mau.
7. A estrada é estreita.
8. O saco é pesado.
9. As camisolas são baratas.
10. A tartaruga é lenta/vagarosa.
11. O homem é rico.
12. O casaco é caro.

UNIDADE 6

A.

1	tem	6	têm, vêm
2	vem	7	tenho
3	vêm	8	tens
4	Tem	9	têm
5	tens, vem	10	Temos

B.

1 deles
2 dela
3 dele
4 delas

C.

1 mulher/esposa
2 marido
3 mãe, pai
4 filhos,netos
5 filha

UNIDADE 7

A.

1 —Gosta desta cidade?
2 —Como (é que) se chama?
3 —Onde moram?
4 —Donde são?

5 —Donde são?
6 —Quando regressa a Portugal?
7 —Quando regressa ao seu país?
8 —Quem é aquele senhor?

B.

1 chega
2 compras
3 fala
4 telefonas

5 fabrica
6 custa
7 trabalham
8 costumo

—Como é que se chama a sua filha mais nova?
—O que é que pensa da comida portuguesa?
—Quem é que costuma pagar a conta?

UNIDADE 8

A. — Queria uma blusa bordada.
— Azul-claro.
— O 38.
— Não, obrigada, é tudo

B.

1 um

2 uma, um

3 um

4 umas

5 uns

C.

2 Esta saia está apertada

3 Esta blusa é às pintas.

4 Estas calças estão compridas

5 Este vestido está curto

6 Esta gravata é às riscas

7 As mangas da blusa estão compridas.

8 A camisola é de lã

9 Este casaco é de pele.

UNIDADE 9

A.

1 por baixo, ao lado

2 entre

3 em frente

4 ao lado

5 para

6 por baixo

7 para

B.

1 O abutre está em cima da palhota.

2 O homem está dentro da palhota.

3 O elefante está debaixo da árvore.

4 O macaco sobe para cima da árvore.

C. atrás da cortina, do lado esquerdo e do lado direito; fora da sala, atrás da porta; dentro d armário; entre os dois armários; debaixo do sofá; atrás do "maple"; no canto direito d sala; debaixo da carpete; fora da sala, atrás do polícia

A.

1 — (A padaria) fica longe daqui?

2 — Há algum hotel nesta rua?

3 — Onde é o Hotel Solmar?

4 — Onde ficam os Correios?

5 — Quanto tempo leva a pé daqui (ao centro)?

6 — De carro, quanto tempo leva daqui à (estação)?

B.

1 — Vá em direcção ao Bar Tropical, vire à sua esquerda, siga em frente e volte outra vez à esquerda; siga em frente e os escritórios da TAP são na esquina da primeira transversal à direita.

2 — Sim. O aeroporto fica no fim desta rua.

3 — Siga em frente. O hospital é no outro lado da rua, à esquerda.

UNIDADE 11

A.

1 escrevo   4 devo

2 Bebo   5 meto

3 parte   6 sabe, abre

.

1 — Já conhece o Norte de Portugal?

2 — Prefere vinho maduro ou vinho verde?/O que prefere?

3 — Posso entrar?/Posso fumar?/...

4 — O que bebem?

5 — Quantas horas dorme por noite?

6 — Quantos postais recebe por semana?

C.

1 — Não, só raramente/algumas vezes/...

2 — Sim, venho muitas vezes/frequentemente.

3 — Não, telefono-lhe raramente.

4 — Não, nunca fui.

UNIDADE 12

1 Cheguei, visitei, achei, comprou, comi, bebi

2 Recebi, fiquei, gostaste, foste, disse, teve.

3 Tomou, foram, disse adeus, encontrou, viu, telefonou, gritou.

UNIDADE 13

A.

1 Vamos partir imediatamente.

2 A inspecção sanitária visita as fábricas frequentemente.

3 Geralmente nunca tomo essa atitude.

4 Os estudantes aprenderam a língua portuguesa facilmente.

5 Ela trabalha lentamente.

6 A secretária do Dr. Coutinho escreve à máquina rapidamente.

Nome	Verbo	Adjectivo	Advérbio
telefonema	reservar	natural	calmamente
avaria	pagar	cómodo	silenciosamente
convite	reclamar	cuidadoso	elegantemente
apresentação	receber	simultâneo	brevemente
acompanhamento	responder	imediato	sinceramente
alteração	servir	rápido	honestamente
	propor		frequentemente
	escolher		felizmente
	resolver		

UNIDADE 14

A.

1	Todos	6	poucas
2	Nenhum	7	todas
3	ninguém	8	muitos
4	Alguns, outros	9	todos
5	alguém	10	cada

B.

1	tão	3	tão	5	tantas
2	tantos	4	tanto	6	tão

UNIDADE 15

A.

1	abertas	5	visto
2	bebido	6	ido
3	decidida	7	adiada
4	feita	8	preso

B.

| 1 | estacionar proibido | 2 | furo pneus | 3 | gasolina depósito |

D.

1	melhor	5	mais baixos (do) que
2	pior (do) que	6	mais famoso
3	tão agradável	7	menos quente (do) que
4	muito alto altíssimo	8	preocupadíssimo muito preocupado

UNIDADE 16

A.

para, há, ligação, avaria, Aguarde, falar, do, sobrecarga, ligar

B.

| 1 | e) | 3 | g) | 5 | h) | 7 | b) |
| 2 | f) | 4 | a) | 6 | d) | 8 | c) |

UNIDADE 17

A.

1	eram	4	atendia, escrevia	7	vinha, trazia
2	trabalhava	5	era, tinha	8	estava
3	sentia-se, conduzia	6	punha, viam		

C. havia, faziam, conversavam e comiam, liam

UNIDADE 18

A.

1 — Deitei-me...

2 — Levantei-me...

3 — Sim, divertimo-nos.
— Não, não nos divertimos.

4 — Sim, lembro-me.
— Não, não me lembro.

5 — Sente-se mal?

6 — De que é que ele se queixa?

7 — Já te serviste?/se serviu?

B.

1 b)   **2** c)   **3** a)

① Dói-me a barriga.
② Doem-me os dentes.

③ Dói-me a cabeça.
④ Dói-me a garganta.

⑤ Doem-me as costas.
⑥ Dói-me o braço.

UNIDADE 19

A.

1 Socorri-**os**.

2 Contactaram-**na**?

3 Puseste-**o** em lugar visível?

4 Socorreram-**nas**?

B.

1 — Sim, tenho-**a** comigo.

2 — Não, ainda não **lhe** telefonei.

3 — Não, não **lhes** pedi.

4 — Sim, tirámo-**los**.

C.

1 comigo   **3** eles   **5** contigo

2 consigo   **4** connosco

183

UNIDADE 20

A.

|1| esteja

|2| corra

|3| tenha

|4| parta

|5| venha

|6| saiba

|7| conduzas

|8| atrase

|9| faltem

|10| chova

|11| aumente

UNIDADE 21

A.

|1| voltar

|2| gostar

|3| disser

|4| forem

|5| comprares

|6| quiseres

|7| quiser

|8| estiver

|9| convier

|10| for

|11| tiver

|12| fizer

|13| chover

|14| melhorar

|15| houver

B.

Cliente — Queríamos uma mesa para seis pessoas.
Empregado — Só se for aquela acolá junto ao fogão de sala.
Cliente — Está bem. Traga-nos a ementa.
Empregado — Com certeza. Só um momento.
Cliente — Como é servido este prato?
Empregado — É carne assada com um molho especial.
Cliente — Deve ser bom. Então, traga cinco doses e três saladas mistas.
Empregado — E para beber, vinho verde ou maduro?
Cliente — O que nos aconselha?
Empregado — O vinho verde acompanha bem este prato.

Mais tarde...

Empregado — Desejam mais alguma coisa?
Cliente — Mais nada, obrigado. A conta, por favor.

A.

1 chegasse   4 estivesse   7 atrasasse

2 fosse   5 soubesse   8 compreendessem

3 pudesse   6 desse

C.

1 iríamos   3 Teria

2 Seria   4 Gostaria

ABREVIATURAS PORTUGUESAS

(a)	assinado	Ex.ª	Excelência
a/c	ao cuidado de...	Excia.	
A.C.P.	Automóvel Clube de Portugal	Ex.ma (Sr.ª)	Excelentíssima (senhora)
apart.	apartamento	Ex.mo (Sr.)	Excelentíssimo (senhor)
ap.		GNR	Guarda Nacional Republicana
Av.	avenida	h	hora/s
c/	com, conta	L., L.º	largo
c/c	conta corrente	Lda.	limitada
c/v	cave	Ltda.	
		méd.	médico
Cª, cia	companhia	n/	nosso/a
Cia		obg.	obrigado
Calç.	calçado	P., Pr.	praça
		pág., p.	página
UE	União Europeia	R.	rua
		r/c	rés-do-chão
C.M.	Câmara Municipal	rem.	remetente
CP	Caminhos-de-Ferro	rem.te	
C.P.	Código Postal	R.S.F.F.	responda se faz favor
CTT	Correios, Telégrafos e Telefones	RTP	Rádio Televisão Portuguesa
D.	dom/dona	s/	sem, seu/sua
d., dto.	direito	S.A.	Sociedade Anónima
Dr.	doutor	S.f.f.	Se faz favor
Dr.ª	doutora	Sr.	senhor
e., esq.	esquerdo	Sr.ª	senhora
ENATUR	Empresa Nacional de Turismo	Tr., Trav.	travessa
		v/	vosso/a
E.R.	Espera resposta	v.º	verso
Esc.	escudo	V.S.F.F.	volte se faz favor

APÊNDICE GRAMATICAL

PLURAL DOS SUBSTANTIVOS E ADJECTIVOS
REGRA GERAL

Palavra Terminada em	Plural	
1. vogal ou ditongo	+ s	
		Exs.: rua/ruas, boa/boas, mau/maus, pai/pais, boi/bois
2. -ão	-ões	(na maioria dos casos) Ex.: o limão/os limões
	-ãos	(em todas as palavras acentuadas na penúltima sílaba e em algumas acentuadas na última) Exs.: o sótão/os sótãos, a mão/as mãos
	-ães	Exs.: o pão/os pães, o alemão/os alemães, o cão/os cães
3. -s	+es	(nas palavras acentuadas na última sílaba) Ex.: mês/meses, inglês/ingleses, país/países
		(sem modificação nas palavras acentuadas na penúltima sílaba) Exs.: o lápis/os lápis
4. -r -z -n	+es	Exs.: a cor/as cores, a mulher/as mulheres, a vez/as vezes, feliz/felizes, o abdómen/os abdómenes
5. -al -ul -el -ol	-is	(nas palavras terminadas em -el ou -ol acentua-se com acento agudo o e ou o o) Ex.: o jornal/os jornais, azul/azuis, o papel/os papéis, o rissol/os rissóis
6. -il	-is	(palavras acentuadas na última sílaba) Ex.: gentil/gentis
	-eis	(palavras acentuadas na penúltima sílaba) Ex.: fácil/fáceis, difícil/difíceis
7. -m	-ns	Ex.: o homem/os homens, a viagem/as viagens, a garagem/as garagens, bom/bons

PRONOMES DEMONSTRATIVOS

Os demonstrativos situam a pessoa ou coisa designada no **espaço** ou no **tempo**.

Variáveis				Invariáveis (neutros)
Singular		Plural		
masc.	fem.	masc.	fem.	
este esse aquele	esta essa aquela	estes esses aqueles	estas essas aquelas	isto isso aquilo

VOZ PASSIVA

Verbo auxiliar — **ser**
Preposição — **por**
Particípio passado:

Regulares

fal+ado	falado, falada falados, faladas
com+ido	comido, comida comidos, comidas
serv+ido	servido, servida servidos, servidas

Irregulares mais comuns

abrir — aberto   ver — visto   prender — preso
escrever — escrito   pôr — posto
pagar — pago   gastar — gasto
limpar — limpo   dizer — dito
ganhar — ganho   fazer — feito

Exs.: Eu **compro** o carro.
O carro **é comprado** por mim.

Você **levou** a carta?
A carta **foi levada** por si?

A Manuela **trazia** os dicionários.
Os dicionários **eram trazidos** pela Manuela.

CONJUNÇÕES E LOCUÇÕES COORDENATIVAS

	CONJUNÇÕES	LOCUÇÕES
Copulativas	e, também, nem, que	não só... mas também, não só... como também, tanto... como
Adversativas	mas, que, porém, todavia, contudo	não obstante, apesar disso, ainda assim, no entanto
Disjuntivas	ou	já... já, nem... nem, ora... ora, ou... ou, quer... quer, seja... seja, seja... ou
Conclusivas	logo, pois, portanto	por conseguinte, por consequência
Explicativas	pois	

CONJUNÇÕES E LOCUÇÕES SUBORDINATIVAS

	CONJUNÇÕES	LOCUÇÕES
Temporais	quando, enquanto, apenas, mal, como	antes que, depois que, logo que, assim que, até que, desde que, primeiro que, sempre que, todas as vezes que, tanto que, à medida que, ao passo que
Causais	porque, pois, como porquanto, que (=*porque*)	visto que, pois que, já que, por isso que, por isso mesmo que
Finais	que (=*para que*)	para que, a fim de que
Condicionais	se	a não ser que, desde que, no caso que, contanto que, excepto se, salvo se, uma vez que
Comparativas	como, segundo, conforme, que	assim como... assim, assim como... assim também, bem como, como... assim, mais... do que, menos... do que, segundo/consoante/ conforme... assim, tão tanto... como
Consecutiva	que	de modo que, de maneira que
Concessivas	embora, conquanto	ainda que, mesmo que, posto que, ainda quando, se bem que
Integrante	que	

PREPOSIÇÕES

a	de	perante
ante	desde	por
após	durante	salvo
até	em	segundo
com	entre	sem
conforme	excepto	sob
consoante	mediante	sobre
contra	para	trás

ALGUMAS LOCUÇÕES PREPOSITIVAS

abaixo de	atrás de	graças a
acerca de	através de	junto a
acima de	cerca de	junto de
a fim de	de acordo com	longe de
além de	defronte de	para baixo de
antes de	dentro de	para com
ao lado de	depois de	para longe de
ao pé de	diante de	perto de
ao redor de	em direcção a	por causa de
apesar de	em vez de	por cima de
a respeito de	fora de	por entre
		por trás de

As preposições **a, de, em, por** podem contrair-se com alguns determinantes ou pronomes:

a + a = à
a + o = ao
de + o = do
de + onde = donde
em + o = no
por + o = pelo
a + aquele = àquele
em + este = neste
em + outro = noutro
de + ele = dele
de + isto = disto
de + aquilo = daquilo

ALGUMAS LOCUÇÕES ADVERBIAIS

a custo	de longe
à pressa	de manhã
a sós	de pé
ao acaso	de repente
ao contrário	de vez em quando
ao largo	em vão
às escuras	frente a frente
com certeza	na verdade
com efeito	por vezes
de cima	sem dúvida

Os advérbios recebem a designação da circunstância que exprimem:

Modo	assim, aliás, bem, como, depressa, devagar, mal, melhor, pior, quase, sobretudo, *e muitos outros terminados em -mente*
Lugar	abaixo, acima, adiante, aí, além, ali, antes, aqui, atrás, através, cá, defronte, dentro, detrás, fora, lá, longe, onde, perto
Tempo	agora, ainda, amanhã, anteontem, antes, antigamente, cedo, dantes, depois, doravante, enfim, então, hoje, já, jamais, logo, nunca, ontem, outrora, sempre, tarde
Quantidade	bastante, bem, demais, demasiado, demasiadamente, mais, menos, muito, pouco, quanto, quase, tanto, tão
Negação	não, nunca, jamais, negativamente O advérbio *não* pode ser equivalente a toda uma frase, especialmente em respostas a perguntas: —Queres sair? — *Não.* (= *Não quero sair.*)
Afirmação	sim, certamente, decerto, efectivamente, realmente Os advérbios de afirmação podem também equivaler a uma frase: —Gostas de viajar? — *Sim.* (= *Gosto de viajar.*)
Exclusão	apenas, exclusivamente, salvo, senão, simplesmente, só, somente, unicamente Estes advérbios podem relacionar-se com os advérbios de quantidade ou de negação, pois referem uma quantidade restrita.
Inclusão	até, mesmo, também, inclusivamente
Dúvida	acaso, porventura, possivelmente, provavelmente, talvez Estes advérbios são equivalentes a frases como *suponho, creio, julgo, estou convencido:* *Talvez* eu vá ao Porto. (= *Suponho que vou ao Porto.*)
Designação	eis
Interrogação	Alguns advérbios de modo, de lugar, de tempo ou locuções de causa podem conter uma interrogação.
de modo	*Como* vai ele chegar ao fim da viagem?
de lugar	*Onde* ficaste sentado?
de tempo	*Quando* regressas?
de causa	*Porque* não chegaste a horas? *Porquê?*

CONJUGAÇÃO DOS VERBOS AUXILIARES MAIS COMUNS

SER	ESTAR	TER	HAVER

Modo indicativo

Presente

Eu sou	estou	tenho	hei
Tu és	estás	tens	hás
Ele é	está	tem	há
Nós somos	estamos	temos	havemos
Vós sois	estais	tendes	haveis
Eles são	estão	têm	hão

Pretérito imperfeito

Eu era	estava	tinha	havia
Tu eras	estavas	tinhas	havias
Ele era	estava	tinha	havia
Nós éramos	estávamos	tínhamos	havíamos
Vós éreis	estáveis	tínheis	havíeis
Eles eram	estavam	tinham	haviam

Pretérito perfeito

Eu fui	estive	tive	houve
Tu foste	estiveste	tiveste	houveste
Ele foi	esteve	teve	houve
Nós fomos	estivemos	tivemos	houvemos
Vós fostes	estivestes	tivestes	houvestes
Eles foram	estiveram	tiveram	houveram

Futuro

Eu serei	estarei	terei	haverei
Tu serás	estarás	terás	haverás
Ele será	estará	terá	haverá
Nós seremos	estaremos	teremos	haveremos
Vós sereis	estareis	tereis	havereis
Eles serão	estarão	terão	haverão

Condicional

Eu seria	estaria	teria	haveria
Tu serias	estarias	terias	haverias
Ele seria	estaria	teria	haveria
Nós seríamos	estaríamos	teríamos	haveríamos
Vós seríeis	estaríeis	teríeis	haveríeis
Eles seriam	estariam	teriam	haveriam

Modo conjuntivo

Presente

Que eu seja	esteja	tenha	haja
Que tu sejas	estejas	tenhas	hajas
Que ele seja	esteja	tenha	haja
Que nós sejamos	estejamos	tenhamos	hajamos
Que vós sejais	estejais	tenhais	hajais
Que eles sejam	estejam	tenham	hajam

Pretérito imperfeito

Que eu fosse	estivesse	tivesse	houvesse
Que tu fosses	estivesses	tivesses	houvesses
Que ele fosse	estivesse	tivesse	houvesse
Que nós fôssemos	estivéssemos	tivéssemos	houvéssemos
Que vós fôsseis	estivésseis	tivésseis	houvésseis
Que eles fossem	estivessem	tivessem	houvessem

Futuro

Quando eu for	estiver	tiver	houver
Quando tu fores	estiveres	tiveres	houveres
Quando ele for	estiver	tiver	houver
Quando nós formos	estivermos	tivermos	houvermos
Quando vós fordes	estiverdes	tiverdes	houverdes
Quando eles forem	estiverem	tiverem	houverem

Modo imperativo

Afirmativo

sê (tu)	está	tem	há
seja (você)	esteja	tenha	haja
sejamos (nós)	estejamos	tenhamos	hajamos
sede (vós)	estai	tende	havei
sejam (vocês)	estejam	tenham	hajam

Negativo

não sejas (tu)	não estejas	não tenhas	não hajas
não seja (você)	não esteja	não tenha	não haja
não sejamos (nós)	não estejamos	não tenhamos	não hajamos
não sejais (vós)	não estejais	não tenhais	não hajais
não sejam (vocês)	não estejam	não tenham	não hajam

Formas nominais

Infinitivo impessoal

ser	estar	ter	haver

Infinitivo pessoal

ser eu	estar	ter	haver
seres tu	estares	teres	haveres
ser ele	estar	ter	haver
sermos nós	estarmos	termos	havermos
serdes vós	estardes	terdes	haverdes
serem eles	estarem	terem	haverem

Gerúndio

sendo	estando	tendo	havendo

Particípio

sido	estado	tido	havido

Conjugação dos verbos irregulares CABER, COBRIR, CONSTRUIR e DAR

CABER	COBRIR	CONSTRUIR	DAR

Modo indicativo

Presente

Eu caibo	cubro	construo	dou
Tu cabes	cobres	constróis	dás
Ele cabe	cobre	constrói	dá
Nós cabemos	cobrimos	construímos	damos
Vós cabeis	cobris	construís	dais
Eles cabem	cobrem	constroem	dão

Pretérito imperfeito

Eu cabia	cobria	construía	dava
Tu cabias	cobrias	construías	davas
Ele cabia	cobria	construía	dava
Nós cabíamos	cobríamos	construíamos	dávamos
Vós cabíeis	cobríeis	construíeis	dáveis
Eles cabiam	cobriam	construíam	davam

Pretérito perfeito

Eu coube	cobri	construí	dei
Tu coubeste	cobriste	contruíste	deste
Ele coube	cobriu	construiu	deu
Nós coubemos	cobrimos	construímos	demos
Vós coubestes	cobristes	construístes	destes
Eles couberam	cobriram	construíram	deram

Futuro

Eu caberei	cobrirei	construirei	darei
Tu caberás	cobrirás	construirás	darás
Ele caberá	cobrirá	construirá	dará
Nós caberemos	cobriremos	construiremos	daremos
Vós cabereis	cobrireis	construireis	dareis
Eles caberão	cobrirão	construirão	darão

Condicional

Eu caberia	cobriria	construiria	daria
Tu caberias	cobririas	construirias	darias
Ele caberia	cobriria	construiria	daria
Nós caberíamos	cobriríamos	construiríamos	daríamos
Vós caberíeis	cobriríeis	construiríeis	daríeis
Eles caberiam	cobririam	construiriam	dariam

Modo conjuntivo

Presente

Que eu caiba	cubra	construa	dê
Que tu caibas	cubras	construas	dês
Que ele caiba	cubra	construa	dê
Que nós caibamos	cubramos	construamos	dêmos
Que vós caibais	cubrais	construais	deis
Que eles caibam	cubram	construam	dêem

Pretérito imperfeito

Que eu coubesse	cobrisse	construísse	desse
Que tu coubesses	cobrisses	construísses	desses
Que ele coubesse	cobrisse	construísse	desse
Que nós coubéssemos	cobríssemos	construíssemos	déssemos
Que vós coubésseis	cobrísseis	construísseis	désseis
Que eles coubessem	cobrissem	construíssem	dessem

Futuro

Quando eu couber	cobrir	construir	der
Quando tu couberes	cobrires	construíres	deres
Quando ele couber	cobrir	construir	der
Quando nós coubermos	cobrirmos	construirmos	dermos
Quando vós couberdes	cobrirdes	construirdes	derdes
Quando eles couberem	cobrirem	construírem	derem

Modo imperativo

Afirmativo

cabe (tu)	cobre	constrói	dá
caiba (você)	cubra	construa	dê
caibamos (nós)	cubramos	construamos	dêmos
cabei (vós)	cobri	construí	dai
caibam (vocês)	cubram	construam	dêem

Negativo

não caibas (tu)	não cubras	não construas	não dês
não caiba (você)	não cubra	não construa	não dê
não caibamos (nós)	não cubramos	não construamos	não dêmos
não caibais (vós)	não cubrais	não construais	não deis
não caibam (vocês)	não cubram	não construam	não dêem

Formas nominais

Infinitivo impessoal

caber	cobrir	construir	dar

Infinitivo pessoal

caber eu	cobrir	construir	dar
caberes tu	cobrires	construíres	dares
caber ele	cobrir	construir	dar
cabermos nós	cobrirmos	construirmos	darmos
caberdes vós	cobrirdes	construirdes	dardes
caberem eles	cobrirem	construírem	darem

Gerúndio

cabendo	cobrindo	construindo	dando

Particípio

cabido	coberto	construído	dado

Conjugação dos verbos irregulares DIVERTIR, DIZER, DORMIR e FAZER

DIVERTIR	DIZER	DORMIR	FAZER

Modo indicativo

Presente

Eu divirto	digo	durmo	faço
Tu divertes	dizes	dormes	fazes
Ele diverte	diz	dorme	faz
Nós divertimos	dizemos	dormimos	fazemos
Vós divertis	dizeis	dormis	fazeis
Eles divertem	dizem	dormem	fazem

Pretérito imperfeito

Eu divertia	dizia	dormia	fazia
Tu divertias	dizias	dormias	fazias
Ele divertia	dizia	dormia	fazia
Nós divertíamos	dizíamos	dormíamos	fazíamos
Vós divertíeis	dizíeis	dormíeis	fazíeis
Eles divertiam	diziam	dormiam	faziam

Pretérito perfeito

Eu diverti	disse	dormi	fiz
Tu divertiste	disseste	dormiste	fizeste
Ele divertiu	disse	dormiu	fez
Nós divertimos	dissemos	dormimos	fizemos
Vós divertistes	dissestes	dormistes	fizestes
Eles divertiram	disseram	dormiram	fizeram

Futuro

Eu divertirei	direi	dormirei	farei
Tu divertirás	dirás	dormirás	farás
Ele divertirá	dirá	dormirá	fará
Nós divertiremos	diremos	dormiremos	faremos
Vós divertireis	direis	dormireis	fareis
Eles divertirão	dirão	dormirão	farão

Condicional

Eu divertiria	diria	dormiria	faria
Tu divertirias	dirias	dormirias	farias
Ele divertiria	diria	dormiria	faria
Nós divertiríamos	diríamos	dormiríamos	faríamos
Vós divertiríeis	diríeis	dormiríeis	faríeis
Eles divertiriam	diriam	dormiriam	fariam

Modo conjuntivo

Presente

Que eu divirta	diga	durma	faça
Que tu divirtas	digas	durmas	faças
Que ele divirta	diga	durma	faça
Que nós divirtamos	digamos	durmamos	façamos
Que vós divirtais	digais	durmais	façais
Que eles divirtam	digam	durmam	façam

Pretérito imperfeito

Que eu divertisse	dissesse	dormisse	fizesse
Que tu divertisses	dissesses	dormisses	fizesses
Que ele divertisse	dissesse	dormisse	fizesse
Que nós divertíssemos	disséssemos	dormíssemos	fizéssemos
Que vós divertísseis	dissésseis	dormísseis	fizésseis
Que eles divertissem	dissessem	dormissem	fizessem

Futuro

Quando eu divertir	disser	dormir	fizer
Quando tu divertires	disseres	dormires	fizeres
Quando ele divertir	disser	dormir	fizer
Quando nós divertirmos	dissermos	dormirmos	fizermos
Quando vós divertirdes	disserdes	dormirdes	fizerdes
Quando eles divertirem	disserem	dormirem	fizerem

Modo imperativo

Afirmativo

diverte (tu)	diz / dize	dorme	faz / faze
divirta (você)	diga	durma	faça
divirtamos (nós)	digamos	durmamos	façamos
diverti (vós)	dizei	dormi	fazei
divirtam (vocês)	digam	durmam	façam

Negativo

não divirtas (tu)	não digas	não durmas	não faças
não divirta (você)	não diga	não durma	não faça
não divirtamos (nós)	não digamos	não durmamos	não façamos
não divirtais (vós)	não digais	não durmais	não façais
não divirtam (vocês)	não digam	não durmam	não façam

Formas nominais

Infinitivo impessoal

divertir	dizer	dormir	fazer

Infinitivo pessoal

divertir eu	dizer	dormir	fazer
divertires tu	dizeres	dormires	fazeres
divertir ele	dizer	dormir	fazer
divertirmos nós	dizermos	dormirmos	fazermos
divertirdes vós	dizerdes	dormirdes	fazerdes
divertirem eles	dizerem	dormirem	fazerem

Gerúndio

divertindo	dizendo	dormindo	fazendo

Particípio

divertido	dito	dormido	feito

Conjugação dos verbos irregulares IR, LER, MEDIR e ODIAR

IR	LER	MEDIR	ODIAR

Modo indicativo

Presente

Eu vou	leio	meço	odeio
Tu vais	lês	medes	odeias
Ele vai	lê	mede	odeia
Nós vamos	lemos	medimos	odiamos
Vós ides	ledes	medis	odiais
Eles vão	lêem	medem	odeiam

Pretérito imperfeito

Eu ia	lia	media	odiava
Tu ias	lias	medias	odiavas
Ele ia	lia	media	odiava
Nós íamos	líamos	medíamos	odiávamos
Vós íeis	líeis	medíeis	odiáveis
Eles iam	liam	mediam	odiavam

Pretérito perfeito

Eu fui	li	medi	odiei
Tu foste	leste	mediste	odiaste
Ele foi	leu	mediu	odiou
Nós fomos	lemos	medimos	odiámos
Vós fostes	lestes	medistes	odiastes
Eles foram	leram	mediram	odiaram

Futuro

Eu irei	lerei	medirei	odiarei
Tu irás	lerás	medirás	odiarás
Ele irá	lerá	medirá	odiará
Nós iremos	leremos	mediremos	odiaremos
Vós ireis	lereis	medireis	odiareis
Eles irão	lerão	medirão	odiarão

Condicional

Eu iria	leria	mediria	odiaria
Tu irias	lerias	medirias	odiarias
Ele iria	leria	mediria	odiaria
Nós iríamos	leríamos	mediríamos	odiaríamos
Vós iríeis	leríeis	mediríeis	odiaríeis
Eles iriam	leriam	mediriam	odiariam

Modo conjuntivo

Presente

Que eu vá	leia	meça	odeie
Que tu vás	leias	meças	odeies
Que ele vá	leia	meça	odeie
Que nós vamos	leiamos	meçamos	odiemos
Que vós vades	leiais	meçais	odieis
Que eles vão	leiam	meçam	odeiem

Pretérito imperfeito

Que eu fosse	lesse	medisse	odiasse
Que tu fosses	lesses	medisses	odiasses
Que ele fosse	lesse	medisse	odiasse
Que nós fôssemos	lêssemos	medíssemos	odiássemos
Que vós fôsseis	lêsseis	medísseis	odiásseis
Que eles fossem	lessem	medissem	odiassem

Futuro

Quando eu for	ler	medir	odiar
Quando tu fores	leres	medires	odiares
Quando ele for	ler	medir	odiar
Quando nós formos	lermos	medirmos	odiarmos
Quando vós fordes	lerdes	medirdes	odiardes
Quando eles forem	lerem	medirem	odiarem

Modo imperativo

Afirmativo

vai (tu)	lê	mede	odeia
vá (você)	leia	meça	odeie
vamos (nós)	leiamos	meçamos	odiemos
ide (vós)	lede	medi	odiai
vão (vocês)	leiam	meçam	odeiem

Negativo

não vás (tu)	não leias	não meças	não odeies
não vá (você)	não leia	não meça	não odeie
não vamos (nós)	não leiamos	não meçamos	não odiemos
não vades (vós)	não leiais	não meçais	não odieis
não vão (vocês)	não leiam	não meçam	não odeiem

Formas nominais

Infinitivo impessoal

ir	ler	medir	odiar

Infinitivo pessoal

ir eu	ler	medir	odiar
ires tu	leres	medires	odiares
ir ele	ler	medir	odiar
irmos nós	lermos	medirmos	odiarmos
irdes vós	lerdes	medirdes	odiardes
irem eles	lerem	medirem	odiarem

Gerúndio

indo	lendo	medindo	odiando

Particípio

ido	lido	medido	odiado

Conjugação dos verbos irregulares OUVIR, PASSEAR, PEDIR e PERDER

OUVIR	PASSEAR	PEDIR	PERDER

to ask for
to order

Modo indicativo

Presente

Eu ouço	passeio	peço	perco
Tu ouves	passeias	pedes	perdes
Ele ouve	passeia	pede	perde
Nós ouvimos	passeamos	pedimos	perdemos
Vós ouvis	passeais	pedis	perdeis
Eles ouvem	passeiam	pedem	perdem

Pretérito imperfeito

Eu ouvia	passeava	pedia	perdia
Tu ouvias	passeavas	pedias	perdias
Ele ouvia	passeava	pedia	perdia
Nós ouvíamos	passeávamos	pedíamos	perdíamos
Vós ouvíeis	passeáveis	pedíeis	perdíeis
Eles ouviam	passeavam	pediam	perdiam

Pretérito perfeito

Eu ouvi	passeei	pedi	perdi
Tu ouviste	passeaste	pediste	perdeste
Ele ouviu	passeou	pediu	perdeu
Nós ouvimos	passeámos	pedimos	perdemos
Vós ouvistes	passeastes	pedistes	perdestes
Eles ouviram	passearam	pediram	perderam

Futuro

Eu ouvirei	passearei	pedirei	perderei
Tu ouvirás	passearás	pedirás	perderás
Ele ouvirá	passeará	pedirá	perderá
Nós ouviremos	passearemos	pediremos	perderemos
Vós ouvireis	passeareis	pedireis	perdereis
Eles ouvirão	passearão	pedirão	perderão

Condicional

Eu ouviria	passearia	pediria	perderia
Tu ouvirias	passearias	pedirias	perderias
Ele ouviria	passearia	pediria	perderia
Nós ouviríamos	passearíamos	pediríamos	perderíamos
Vós ouviríeis	passearíeis	pediríeis	perderíeis
Eles ouviriam	passeariam	pediriam	perderiam

Modo conjuntivo

Presente

Que eu ouça	passeie	peça	perca
Que tu ouças	passeies	peças	percas
Que ele ouça	passeie	peça	perca
Que nós ouçamos	passeemos	peçamos	percamos
Que vós ouçais	passeeis	peçais	percais
Que eles ouçam	passeiem	peçam	percam

Pretérito imperfeito

Que eu ouvisse	passeasse	pedisse	perdesse
Que tu ouvisses	passeasses	pedisses	perdesses
Que ele ouvisse	passeasse	pedisse	perdesse
Que nós ouvíssemos	passeássemos	pedíssemos	perdêssemos
Que vós ouvísseis	passeásseis	pedísseis	perdêsseis
Que eles ouvissem	passeassem	pedissem	perdessem

Futuro

Quando eu ouvir	passear	pedir	perder
Quando tu ouvires	passeares	pedires	perderes
Quando ele ouvir	passear	pedir	perder
Quando nós ouvirmos	passearmos	pedirmos	perdermos
Quando vós ouvirdes	passeardes	pedirdes	perderdes
Quando eles ouvirem	passearem	pedirem	perderem

Modo imperativo

Afirmativo

ouve (tu)	passeia	pede	perde
ouça (você)	passeie	peça	perca
ouçamos (nós)	passeemos	peçamos	percamos
ouvi (vós)	passeai	pedi	perdei
ouçam (vocês)	passeiem	peçam	percam

Negativo

não ouças (tu)	não passeies	não peças	não percas
não ouça (você)	não passeie	não peça	não perca
não ouçamos (nós)	não passeemos	não peçamos	não percamos
não ouçais (vós)	não passeeis	não peçais	não percais
não ouçam (vocês)	não passeiem	não peçam	não percam

Formas nominais

Infinitivo impessoal

ouvir	passear	pedir	perder

Infinitivo pessoal

ouvir eu	passear	pedir	perder
ouvires tu	passeares	pedires	perderes
ouvir ele	passear	pedir	perder
ouvirmos nós	passearmos	pedirmos	perdermos
ouvirdes vós	passeardes	pedirdes	perderdes
ouvirem eles	passearem	pedirem	perderem

Gerúndio

ouvindo	passeando	pedindo	perdendo

Particípio

ouvido	passeado	pedido	perdido

Conjugação dos verbos irregulares PODER, PÔR, PREFERIR e QUERER

PODER	PÔR	PREFERIR	QUERER
	to put		

Modo indicativo

Presente

Eu posso	ponho	prefiro	quero
Tu podes	pões	preferes	queres
Ele pode	põe	prefere	quer
Nós podemos	pomos	preferimos	queremos
Vós podeis	pondes	preferis	quereis
Eles podem	põem	preferem	querem

Pretérito imperfeito

Eu podia	punha	preferia	queria
Tu podias	punhas	preferias	querias
Ele podia	punha	preferia	queria
Nós podíamos	púnhamos	preferíamos	queríamos
Vós podíeis	púnheis	preferíeis	queríeis
Eles podiam	punham	preferiam	queriam

Pretérito perfeito

Eu pude	pus	preferi	quis
Tu pudeste	puseste	preferiste	quiseste
Ele pôde	pôs	preferiu	quis
Nós pudemos	pusemos	preferimos	quisemos
Vós pudestes	pusestes	preferistes	quisestes
Eles puderam	puseram	preferiram	quiseram

Futuro

Eu poderei	porei	preferirei	quererei
Tu poderás	porás	preferirás	quererás
Ele poderá	porá	preferirá	quererá
Nós poderemos	poremos	preferiremos	quereremos
Vós podereis	poreis	preferireis	querereis
Eles poderão	porão	preferirão	quererão

Condicional

Eu poderia	poria	preferiria	quereria
Tu poderias	porias	preferirias	quererias
Ele poderia	poria	preferiria	quereria
Nós poderíamos	poríamos	preferiríamos	quereríamos
Vós poderíeis	poríeis	preferiríeis	quereríeis
Eles poderiam	poriam	prefeririam	quereriam

Modo conjuntivo

Presente

Que eu possa	ponha	prefira	queira
Que tu possas	ponhas	prefiras	queiras
Que ele possa	ponha	prefira	queira
Que nós possamos	ponhamos	prefiramos	queiramos
Que vós possais	ponhais	prefirais	queirais
Que eles possam	ponham	prefiram	queiram

Pretérito imperfeito

Que eu pudesse	pusesse	preferisse	quisesse
Que tu pudesses	pusesses	preferisses	quisesses
Que ele pudesse	pusesse	preferisse	quisesse
Que nós pudéssemos	puséssemos	preferíssemos	quiséssemos
Que vós pudésseis	pusésseis	preferísseis	quisésseis
Que eles pudessem	pusessem	preferissem	quisessem

Futuro

Quando eu puder	puser	preferir	quiser
Quando tu puderes	puseres	preferires	quiseres
Quando ele puder	puser	preferir	quiser
Quando nós pudermos	pusermos	preferirmos	quisermos
Quando vós puderdes	puserdes	preferirdes	quiserdes
Quando eles puderem	puserem	preferirem	quiserem

Modo imperativo

Afirmativo

	põe (tu)	prefere	quer
	ponha (você)	prefira	queira
(não há)	ponhamos (nós)	prefiramos	queiramos
	ponde (vós)	preferi	querei
	ponham (vocês)	prefiram	queiram

Negativo

	não ponhas (tu)	não prefiras	não queiras
	não ponha (você)	não prefira	não queira
(não há)	não ponhamos (nós)	não prefiramos	não queiramos
	não ponhais (vós)	não prefirais	não queirais
	não ponham (vocês)	não prefiram	não queiram

Formas nominais

Infinitivo impessoal

poder	pôr	preferir	querer

Infinitivo pessoal

poder eu	pôr	preferir	querer
poderes tu	pores	preferires	quereres
poder ele	pôr	preferir	querer
podermos nós	pormos	preferirmos	querermos
poderdes vós	pordes	preferirdes	quererdes
poderem eles	porem	preferirem	quererem

Gerúndio

podendo	pondo	preferindo	querendo

Particípio

podido	posto	preferido	querido

Conjugação dos verbos irregulares SABER, SAIR, SEGUIR e SENTIR

SABER	SAIR	SEGUIR	SENTIR

Modo indicativo

Presente

Eu sei	saio	sigo	sinto
Tu sabes	sais	segues	sentes
Ele sabe	sai	segue	sente
Nós sabemos	saímos	seguimos	sentimos
Vós sabeis	saís	seguis	sentis
Eles sabem	saem	seguem	sentem

Pretérito imperfeito

Eu sabia	saía	seguia	sentia
Tu sabias	saías	seguias	sentias
Ele sabia	saía	seguia	sentia
Nós sabíamos	saíamos	seguíamos	sentíamos
Vós sabíeis	saíeis	seguíeis	sentíeis
Eles sabiam	saíam	seguiam	sentiam

Pretérito perfeito

Eu soube	saí	segui	senti
Tu soubeste	saíste	seguiste	sentiste
Ele soube	saiu	seguiu	sentiu
Nós soubemos	saímos	seguimos	sentimos
Vós soubestes	saístes	seguistes	sentistes
Eles souberam	saíram	seguiram	sentiram

Futuro

Eu saberei	sairei	seguirei	sentirei
Tu saberás	sairás	seguirás	sentirás
Ele saberá	sairá	seguirá	sentirá
Nós saberemos	sairemos	seguiremos	sentiremos
Vós sabereis	saireis	seguireis	sentireis
Eles saberão	sairão	seguirão	sentirão

Condicional

Eu saberia	sairia	seguiria	sentiria
Tu saberias	sairias	seguirias	sentirias
Ele saberia	sairia	seguiria	sentiria
Nós saberíamos	sairíamos	seguiríamos	sentiríamos
Vós saberíeis	sairíeis	seguiríeis	sentiríeis
Eles saberiam	sairiam	seguiriam	sentiriam

Modo conjuntivo

Presente

Que eu saiba	saia	siga	sinta
Que tu saibas	saias	sigas	sintas
Que ele saiba	saia	siga	sinta
Que nós saibamos	saiamos	sigamos	sintamos
Que vós saibais	saiais	sigais	sintais
Que eles saibam	saiam	sigam	sintam

Pretérito imperfeito

Que eu soubesse	saísse	seguisse	sentisse
Que tu soubesses	saísses	seguisses	sentisses
Que ele soubesse	saísse	seguisse	sentisse
Que nós soubéssemos	saíssemos	seguíssemos	sentíssemos
Que vós soubésseis	saísseis	seguísseis	sentísseis
Que eles soubessem	saíssem	seguissem	sentissem

Futuro

Quando eu souber	sair	seguir	sentir
Quando tu souberes	saíres	seguires	sentires
Quando ele souber	sair	seguir	sentir
Quando nós soubermos	sairmos	seguirmos	sentirmos
Quando vós souberdes	sairdes	seguirdes	sentirdes
Quando eles souberem	saírem	seguirem	sentirem

Modo imperativo

Afirmativo

sabe (tu)	sai	segue	sente
saiba (você)	saia	siga	sinta
saibamos (nós)	saiamos	sigamos	sintamos
sabei (vós)	saí	segui	senti
saibam (vocês)	saiam	sigam	sintam

Negativo

não saibas (tu)	não saias	não sigas	não sintas
não saiba (você)	não saia	não siga	não sinta
não saibamos (nós)	não saiamos	não sigamos	não sintamos
não saibais (vós)	não saiais	não sigais	não sintais
não saibam (vocês)	não saiam	não sigam	não sintam

Formas nominais

Infinitivo impessoal

saber	sair	seguir	sentir

Infinitivo pessoal

saber eu	sair	seguir	sentir
saberes tu	saíres	seguires	sentires
saber ele	sair	seguir	sentir
sabermos nós	sairmos	seguirmos	sentirmos
saberdes vós	sairdes	seguirdes	sentirdes
saberem eles	saírem	seguirem	sentirem

Gerúndio

sabendo	saindo	seguindo	sentindo

Particípio

sabido	saído	seguido	sentido

Conjugação dos verbos irregulares SERVIR, TRAZER, VER e VIR

SERVIR	TRAZER	VER	VIR

Modo indicativo

Presente

SERVIR	TRAZER	VER	VIR
Eu sirvo	trago	vejo	venho
Tu serves	trazes	vês	vens
Ele serve	traz	vê	vem
Nós servimos	trazemos	vemos	vimos
Vós servis	trazeis	vêdes	vindes
Eles servem	trazem	vêem	vêm

Pretérito imperfeito

SERVIR	TRAZER	VER	VIR
Eu servia	trazia	via	vinha
Tu servias	trazias	vias	vinhas
Ele servia	trazia	via	vinha
Nós servíamos	trazíamos	víamos	vínhamos
Vós servíeis	trazíeis	víeis	vínheis
Eles serviam	traziam	viam	vinham

Pretérito perfeito

SERVIR	TRAZER	VER	VIR
Eu servi	trouxe	vi	vim
Tu serviste	trouxeste	viste	vieste
Ele serviu	trouxe	viu	veio
Nós servimos	trouxemos	vimos	viemos
Vós servistes	trouxestes	vistes	viestes
Eles serviram	trouxeram	viram	vieram

Futuro

SERVIR	TRAZER	VER	VIR
Eu servirei	trarei	verei	virei
Tu servirás	trarás	verás	virás
Ele servirá	trará	verá	virá
Nós serviremos	traremos	veremos	viremos
Vós servireis	trareis	vereis	vireis
Eles servirão	trarão	verão	virão

Condicional

SERVIR	TRAZER	VER	VIR
Eu serviria	traria	veria	viria
Tu servirias	trarias	verias	virias
Ele serviria	traria	veria	viria
Nós serviríamos	traríamos	veríamos	viríamos
Vós serviríeis	traríeis	veríeis	viríeis
Eles serviriam	trariam	veriam	viriam

Modo conjuntivo

Presente

SERVIR	TRAZER	VER	VIR
Que eu sirva	traga	veja	venha
Que tu sirvas	tragas	vejas	venhas
Que ele sirva	traga	veja	venha
Que nós sirvamos	tragamos	vejamos	venhamos
Que vós sirvais	tragais	vejais	venhais
Que eles sirvam	tragam	vejam	venham

Pretérito imperfeito

Que eu servisse	trouxesse	visse	viesse
Que tu servisses	trouxesses	visses	viesses
Que ele servisse	trouxesse	visse	viesse
Que nós servíssemos	trouxéssemos	víssemos	viéssemos
Que vós servísseis	trouxésseis	vísseis	viésseis
Que eles servissem	trouxessem	vissem	viessem

Futuro

Quando eu servir	trouxer	vir	vier
Quando tu servires	trouxeres	vires	vieres
Quando ele servir	trouxer	vir	vier
Quando nós servirmos	trouxermos	virmos	viermos
Quando vós servirdes	trouxerdes	virdes	vierdes
Quando eles servirem	trouxerem	virem	vierem

Modo imperativo

Afirmativo

serve (tu)	traz	vê	vem
sirva (você)	traga	veja	venha
sirvamos (nós)	tragamos	vejamos	venhamos
servi (vós)	trazei	vede	vinde
sirvam (vocês)	tragam	vejam	venham

Negativo

não sirvas (tu)	não tragas	não vejas	não venhas
não sirva (você)	não traga	não veja	não venha
não sirvamos (nós)	não tragamos	não vejamos	não venhamos
não sirvais (vós)	não tragais	não vejais	não venhais
não sirvam (vocês)	não tragam	não vejam	não venham

Formas nominais

Infinitivo impessoal

sentir	trazer	ver	vir

Infinitivo pessoal

servir eu	trazer	ver	vir
servires tu	trazeres	veres	vires
servir ele	trazer	ver	vir
servirmos nós	trazermos	vermos	virmos
servirdes vós	trazerdes	verdes	virdes
servirem eles	trazerem	verem	virem

Gerúndio

servindo	trazendo	vendo	vindo

Particípio

servido	trazido	visto	vindo